Thanksgiving Puzzle #1

E	G	A	U	T	U	M	N	H	S	A	U	Q	S	G
M	R	A	P	I	X	J	F	S	T	O	B	A	J	P
G	C	G	O	U	Z	O	Q	X	J	Q	T	V	A	A
Q	D	R	R	N	O	U	V	O	Y	A	G	E	Z	X
M	W	I	A	T	A	N	E	S	D	W	T	I	I	V
N	Z	Y	B	N	I	P	T	M	X	C	W	N	E	J
M	R	A	T	K	B	S	M	B	S	T	Z	D	W	E
B	L	O	P	V	I	E	T	A	S	K	W	I	K	L
L	I	M	C	N	L	E	R	E	W	T	E	G	L	S
U	U	W	O	A	X	J	V	R	Y	N	O	E	Y	O
P	H	L	O	U	X	R	S	K	I	F	A	N	Q	W
Q	O	C	T	E	A	G	M	Y	K	E	U	O	M	Q
C	B	A	E	H	X	U	D	N	K	M	S	U	N	L
E	P	C	O	R	N	U	C	O	P	I	A	S	F	G
A	H	L	G	R	A	T	I	T	U	D	E	S	C	Q

Word List

ACORN
AUTUMN
COLONISTS
CORNU COPIA
CRANBERRIES
FOOTBALL
GRATITUDE
HARVEST
INDIGENOUS
PATUXET
PUMPKIN
SQUANTO
SQUASH
V
V

D1213623

Thanksgiving Puzzle #2

P	K	M	P	F	N	P	C	B	X	J	U	L	C	P
O	Q	U	H	O	L	I	D	A	Y	M	B	L	A	L
Q	N	P	D	O	L	E	B	W	N	L	R	U	S	Y
M	Y	Z	X	T	M	K	M	R	X	O	M	F	S	M
T	C	I	M	B	K	U	O	Y	U	L	E	K	E	O
Q	R	C	D	A	B	C	T	S	C	L	Z	N	R	U
M	X	A	W	L	Y	H	L	N	H	Z	E	A	O	T
P	F	H	D	L	B	F	A	F	A	W	J	H	L	H
V	P	O	H	I	V	U	L	E	W	U	Y	T	E	C
A	G	B	D	D	T	S	A	O	V	A	Q	U	I	K
O	G	H	X	U	P	I	R	T	W	G	S	S	V	S
P	C	L	M	Q	P	L	O	H	S	E	Y	D	I	W
H	K	N	Y	E	D	T	V	N	Q	X	R	A	N	T
P	I	L	G	R	I	M	L	H	X	X	P	M	M	M
E	N	X	S	L	U	J	W	T	O	R	V	J	H	S

Word List

AUTUMN
CANOE
CASSEROLE
CORN
FOOTBALL
HOLIDAY
MAYFLOWER
NEWWORLD
PIE
PILGRIM
PLYMOUTH
THANKFUL
TISQUANTUM
TRADITION
YAMS

Thanksgiving Puzzle #3

G	P	I	L	G	R	I	M	S	Y	X	G	E	H	Y
E	S	Q	U	A	S	H	F	E	J	A	G	H	I	G
N	K	Z	H	C	N	J	T	Y	T	A	I	O	G	T
O	S	T	T	L	Z	A	Y	H	Y	N	G	L	X	W
B	L	C	M	R	R	S	E	O	O	B	B	I	K	H
H	V	S	K	B	E	R	V	I	B	U	Y	D	T	Y
S	N	V	E	O	N	S	T	O	I	R	Y	A	V	W
I	R	L	R	M	U	I	S	L	R	H	D	Y	T	R
W	E	W	E	S	D	R	K	E	G	O	B	B	L	E
C	B	E	Z	A	V	P	B	P	D	Y	Y	X	E	C
A	M	B	R	P	R	N	E	J	M	E	B	E	O	N
P	E	T	X	K	A	L	Q	C	K	U	W	S	D	L
W	V	T	Q	R	A	P	K	R	A	W	P	Y	Q	O
C	O	C	C	L	G	I	U	C	K	N	Y	U	E	V
L	N	R	C	U	Y	T	D	J	M	M	S	E	T	Q

Word List

CELEBRATE
CRANBERRY
DESSERT
GATHER
GOBBLE
HOLIDAY
NOVEMBER
PECANS
PILGRIMS
PUMPKIN
SQUASH
TRADITION
TURKEY
VOYAGE
WISHBONE

Thanksgiving Puzzle #4

C	G	D	M	J	W	S	S	F	R	K	Q	R	Q	M
K	I	S	C	D	X	Y	A	J	M	C	M	J	S	D
N	V	K	F	P	W	M	S	E	L	A	G	E	L	S
A	I	Z	J	R	I	B	J	K	Y	N	O	A	L	B
T	N	O	M	L	E	R	B	F	I	T	I	O	I	S
I	G	D	Y	B	J	D	L	V	A	P	O	R	M	O
V	T	N	L	X	P	O	I	T	O	H	P	I	I	S
E	H	D	L	R	W	G	O	C	C	G	R	V	P	N
S	A	I	D	E	S	P	U	S	E	G	I	E	C	A
W	N	P	R	K	W	N	O	Y	L	L	V	A	D	C
E	K	E	N	R	R	T	Z	I	E	V	P	J	L	I
E	S	A	E	O	K	K	P	H	Q	K	Y	P	O	R
T	H	Z	C	C	H	V	S	Z	K	H	R	J	A	E
T	F	E	A	S	T	Q	Y	Q	U	N	O	U	M	M
R	E	B	M	E	V	O	N	S	A	N	F	C	T	A

Word List

AMERICANS
APPLECIDER
BACK TO SCHOOL
CORNUCOPIA
FAMILY
FEAST
GIVINGTHANKS
MAYFLOWER
NATIVE SWEET
NOVEMBER
PILGRIMS
POTATOES
THANKSGIVING
TURKEY

Thanksgiving Puzzle #5

Z	H	T	H	A	N	K	S	G	I	V	I	N	G	S
N	S	I	A	B	B	F	Z	G	S	T	F	M	E	F
P	I	N	R	I	N	D	A	T	A	M	M	I	B	F
U	L	D	V	R	V	R	S	M	J	U	R	I	S	E
M	G	I	E	V	X	I	O	T	I	R	T	H	U	Z
P	N	A	S	Z	N	Z	S	C	E	L	D	U	B	V
K	E	N	T	O	B	A	T	B	E	F	Y	D	M	M
I	R	S	L	E	E	T	N	J	B	M	E	I	D	N
N	V	O	U	F	L	A	F	G	S	H	F	Y	A	A
P	C	U	T	Q	R	Y	S	T	U	F	F	I	N	G
I	F	T	W	C	W	N	V	S	U	M	F	U	Y	Y
E	B	C	Q	B	O	V	Q	A	R	X	O	R	D	K
C	K	T	I	W	W	V	B	Y	R	B	G	M	X	B
J	C	R	A	N	B	E	R	R	Y	G	I	X	B	J
N	M	A	S	H	E	D	P	O	T	A	T	O	E	S

Word List

AUTUMN
COLONISTS
CORN
CRANBERRIES
CRANBERRY
ENGLISH
FAMILY
FEAST
GRAVY
HARVEST
INDIANS
MASHEDPOTATOES
PUMPKINPIE
STUFFING
THANKSGIVING

Thanksgiving Puzzle #6

X	Y	Y	E	D	W	Y	C	G	E	N	B	X	A	K
V	N	A	K	J	Y	X	N	I	O	X	A	I	G	T
A	Q	I	S	K	J	I	P	V	O	M	Z	L	A	X
B	N	X	I	B	F	U	E	H	Z	W	F	L	J	S
B	A	U	I	F	M	M	Y	C	P	A	G	A	I	N
S	L	C	U	P	B	U	P	W	N	Z	B	N	G	O
C	B	T	K	E	W	A	M	P	A	N	O	A	G	V
T	S	I	R	Y	S	D	Y	S	T	U	R	K	E	Y
S	N	A	C	I	R	E	M	A	E	V	I	T	A	N
P	B	G	N	I	V	I	G	S	K	N	A	H	T	O
O	Y	F	K	B	R	S	E	T	T	L	E	R	S	S
A	Y	L	F	G	R	A	F	T	E	R	I	G	W	P
E	D	B	L	M	V	A	H	G	J	R	R	Z	T	K
C	T	I	L	K	S	A	R	O	T	E	Q	I	R	U
Q	P	S	E	O	T	A	T	O	P	T	E	E	W	S

Word List

AFTER
AGAIN
ANY
NATIVEAMERICANS
NOVEMBER
PIE
PILGRIMS
PUMPKIN
SETTLERS
STUFFING
SWEETPOTATOES
THANKSGIVING
TURKEY
WAMPANOAG.

Thanksgiving Puzzle #7

G	I	W	L	I	Q	F	Q	Z	Q	A	K	N	D	A
E	E	J	X	N	R	O	N	L	B	Z	J	C	F	G
A	V	B	F	S	A	H	J	N	Q	H	N	O	D	X
L	M	C	D	F	Z	P	X	B	Y	I	H	D	W	P
B	Y	V	U	P	Z	G	O	T	U	I	T	K	B	D
V	E	T	X	O	V	T	V	G	S	C	K	E	G	Z
S	E	L	W	O	H	Q	A	M	D	T	Y	G	O	Y
Q	H	H	U	X	T	H	S	A	V	G	P	Q	I	N
A	A	A	S	K	L	D	H	M	S	J	E	D	N	L
V	R	W	D	C	L	H	F	N	F	R	O	M	G	L
M	E	V	N	U	Y	Y	B	K	L	F	A	B	X	T
A	H	J	O	K	L	J	F	X	F	J	E	Y	R	N
Z	R	C	Y	F	W	E	M	R	Y	K	M	V	S	Q
J	E	V	E	R	Y	I	V	A	X	L	D	P	I	H
C	P	A	C	E	H	Z	S	Y	M	Y	M	V	A	G

Word List

AS
ASK
BY
COULD
EVERY
FLY
FROM
GIVE
GOING
HAD
HAS
HER
HIM
HIS
HOW

Thanksgiving Puzzle #8

T	J	Y	N	B	R	P	H	F	J	M	X	R	S	H
I	E	H	R	E	S	X	U	T	H	Z	A	I	D	R
Z	E	I	V	A	Z	O	J	M	C	W	U	Y	B	Y
C	T	O	I	P	I	D	M	Y	K	U	T	U	T	W
T	F	D	E	O	K	C	M	E	L	F	Y	A	A	H
M	F	Y	P	U	T	R	J	Q	J	K	K	Q	E	Y
N	I	E	A	V	P	K	M	Q	N	E	J	V	J	D
I	N	N	W	R	O	A	K	A	F	Q	I	Y	R	G
P	K	F	F	Q	T	K	H	L	V	L	I	F	O	V
K	N	N	D	O	S	T	D	R	O	V	O	J	U	G
R	V	G	O	G	C	K	I	P	K	P	N	K	N	F
W	C	E	P	W	I	Q	H	W	O	P	C	O	D	L
B	U	V	D	O	L	E	Q	J	O	M	E	J	B	E
C	I	F	Q	L	W	J	U	S	T	N	W	L	M	T
V	B	H	A	O	O	B	P	E	H	U	X	O	P	M

Word List

JUST
KNOW
LET
LIVE
MAY

OLD
ONCE
OPEN
OVER
PUT

ROUND
SOME
STOP
TAKE
THANK

Thanksgiving Puzzle #9

V	M	S	Z	G	F	X	F	O	U	R	T	E	E	N
T	F	H	A	F	O	U	R	L	L	X	U	Y	C	O
A	D	E	J	A	Y	R	L	Q	H	J	Y	F	K	Q
E	N	O	A	T	K	F	N	E	E	T	F	I	F	H
O	I	M	A	S	H	W	Q	O	C	I	H	W	T	R
T	N	G	E	T	T	I	H	L	V	D	X	G	N	Y
F	R	L	H	R	H	D	N	E	A	S	L	D	W	G
X	E	R	E	T	E	E	W	K	N	G	K	D	E	C
M	D	N	H	X	E	W	M	L	U	N	L	L	L	W
Q	X	G	A	T	L	E	B	Y	D	J	A	K	E	V
S	K	Y	X	A	H	T	N	H	Z	X	W	J	V	S
B	B	K	A	Z	M	P	E	I	G	H	T	Z	E	N
V	S	T	S	I	N	O	L	O	C	K	T	H	N	H
P	G	T	X	X	M	K	C	L	P	T	P	Z	E	Y
J	O	K	T	X	N	Z	Q	H	W	K	N	T	I	N

Word List

COLONISTS
EIGHT
EIGHTEEN
ELEVEN
FEAST
FIFTEEN
FIVE
FOUR
FOURTEEN
THEM
THEN
THINK
WALK
WERE
WHEN.

Thanksgiving Puzzle #10

N	G	M	B	E	D	T	K	S	N	I	R	D	M	O
A	M	F	Q	U	R	B	X	E	E	I	Y	A	F	M
T	U	C	E	L	T	H	E	I	L	V	S	U	A	T
I	N	H	I	N	B	T	N	G	S	S	E	Y	X	W
V	N	I	D	H	X	P	B	O	A	W	F	N	U	G
E	I	E	N	I	K	G	L	C	V	L	O	U	X	G
A	N	R	S	E	B	S	H	Y	O	E	G	G	C	P
M	E	J	U	Q	T	U	E	W	M	N	M	Y	I	I
E	E	Q	N	R	S	E	E	V	I	O	A	B	P	L
R	O	Y	P	E	L	R	E	F	E	N	U	M	E	G
I	N	K	T	G	F	Q	F	N	Z	N	R	T	P	R
C	E	T	H	A	E	U	R	C	Z	L	T	M	H	I
A	S	M	I	P	T	B	W	O	A	M	D	E	R	M
N	Z	O	F	S	O	H	O	L	I	D	A	Y	E	S
S	V	A	F	W	E	G	R	Z	K	Z	M	K	D	N

Word List

HOLIDAY
MASSACHUSETTS
MAYFLOWER
NATIVE AMERICANS
NINE
NINETEEN
NOVEMBER
ONE
PILGRIM
PLYMOUTH
SEVEN
SEVENTEEN
SIX
SIXTEEN
STUFFING

Thanksgiving Puzzle #11

V	O	K	B	T	E	B	C	G	Z	Z	B	Z	Z	H
B	V	G	T	E	G	V	D	R	O	B	K	P	O	E
N	E	U	R	T	T	D	Z	Z	N	A	C	P	I	S
Y	Y	H	E	W	A	M	P	E	X	K	P	P	E	T
J	T	I	R	E	V	C	T	V	O	E	E	M	W	M
X	T	R	K	N	U	A	I	L	F	L	O	E	E	V
N	K	W	Q	T	G	U	A	R	P	W	L	T	P	K
F	M	T	J	Y	I	E	J	P	E	V	V	U	N	T
S	G	U	L	K	N	A	A	B	E	M	S	R	E	O
W	V	K	T	T	W	O	X	A	A	A	A	K	E	G
A	Y	V	C	U	F	W	K	D	C	S	G	E	T	P
E	R	T	Y	Z	A	E	S	N	A	O	T	Y	R	W
L	A	S	Q	S	L	U	F	N	E	T	R	E	I	M
P	V	S	S	O	Y	T	N	I	C	H	T	N	H	Y
T	H	A	N	K	S	G	I	V	I	N	G	E	T	U

Word List

ACORN
AMERICA
APPLE PIE
ATE
AUTUMN
BAKE
BASTE
TEN
THANKSGIVING
THIRTEEN
THREE
TURKEY
TWELVE
TWENTY
TWO

Thanksgiving Puzzle #12

C	A	H	Q	K	Q	K	T	L	Q	F	L	Z	J	S
D	D	U	U	E	L	Y	O	A	D	X	S	B	K	A
S	E	D	Y	H	C	P	R	N	Q	T	R	C	R	J
L	H	L	I	L	U	F	S	K	R	E	I	D	S	E
Y	S	Q	I	S	L	J	P	E	A	T	O	E	G	A
Y	G	D	R	C	H	A	S	D	S	K	I	O	N	M
T	L	E	I	T	I	S	F	M	W	R	X	F	B	A
C	K	O	S	N	E	O	U	F	R	S	S	E	V	Q
T	N	N	V	D	N	R	U	E	E	W	A	F	T	E
D	A	A	P	Q	D	E	B	S	I	N	S	V	L	A
A	N	C	Q	P	O	N	R	J	S	J	N	W	Q	T
Z	H	N	G	V	A	C	D	I	N	E	P	G	H	V
H	N	U	B	R	D	R	O	S	W	Q	R	K	O	K
J	S	Y	C	G	O	Y	U	O	I	Y	L	P	A	G
W	P	A	T	S	C	G	N	R	K	C	A	R	V	E

Word List

BEANS
BREAD
BUN
CANOE
CARVE
COOK
CRANBERRIES
DELICIOUS
DESSERT
DINE
DINNER
DISH
DRUMSTICK
EAT
FALL

Thanksgiving Puzzle #13

S	M	A	S	S	A	C	H	U	S	E	T	T	S	E
I	O	U	G	I	B	L	E	T	S	H	X	W	U	T
I	N	T	J	Q	N	G	H	D	P	Q	A	F	E	P
N	Y	T	Y	R	G	Y	E	C	M	N	N	M	V	T
N	L	F	R	R	S	E	V	A	E	L	H	F	S	A
F	I	W	O	C	G	A	Q	J	W	R	J	D	X	L
Z	M	L	R	O	N	E	I	G	E	Z	N	Z	T	S
V	A	E	F	O	T	M	L	B	L	E	M	T	L	X
V	F	A	V	E	V	B	W	M	I	L	S	C	A	Z
J	Z	F	H	K	A	U	A	R	L	E	E	U	G	M
T	K	S	U	K	K	S	F	L	V	S	F	T	K	L
T	I	V	A	N	A	J	T	R	L	S	Z	G	E	W
F	G	R	A	V	Y	L	A	L	E	L	B	B	O	G
R	Z	B	Z	M	F	H	C	H	O	M	E	T	W	D
V	A	R	N	Y	A	D	I	L	O	H	U	E	E	H

Word List

FAMILY
FEAST
FISH
FOOTBALL
FRIENDS
GIBLETS
GOBBLE
GRAVY
HAM
HARVEST
HOLIDAY
HOME
LEAF
LEAVES
MASSACHUSETTS

Thanksgiving Puzzle #14

G	T	N	Y	A	B	S	N	E	W	W	O	R	L	D
Q	O	A	J	I	T	B	T	T	H	S	I	N	L	V
Q	R	T	Q	Y	X	E	Y	O	N	H	S	A	T	X
S	L	I	H	B	E	W	B	A	P	W	E	P	A	P
K	W	V	O	P	O	O	P	X	B	M	G	O	S	L
W	C	E	N	M	Y	V	O	O	W	T	W	T	T	A
L	C	A	A	X	A	O	V	E	N	K	H	A	N	T
E	Z	M	P	R	P	S	T	X	C	K	B	T	E	T
X	G	E	K	B	C	E	S	V	Q	B	Z	O	R	E
Z	O	R	I	E	X	C	C	A	G	J	L	G	A	R
B	O	I	N	U	H	W	N	A	S	S	G	A	P	Y
K	Y	C	T	T	R	I	N	V	N	O	J	Y	V	Z
K	B	A	S	W	A	N	E	D	N	P	I	F	B	Y
Y	P	N	P	I	L	G	R	I	M	G	I	T	V	F
X	M	E	L	T	I	N	G	P	O	T	C	E	Y	M

Word List

MASSASOIT
MEAL
MELTING POT
NAPKIN
NATIVE AMERICAN

NEWWORLD
OVEN
PANS
PARENTS
PATUXET

PECAN PIE
PILGRIM
PLATTER
POTATO
POTS

Thanksgiving Puzzle #15

H	X	N	A	F	I	B	E	T	Z	M	A	A	X	S
T	S	E	R	V	E	S	A	L	A	D	W	H	K	S
X	A	W	R	K	C	C	G	Q	V	D	S	Q	D	M
V	J	S	Z	T	A	B	L	E	C	L	O	T	H	A
B	L	R	T	E	P	V	L	G	Q	T	C	R	K	R
V	A	T	C	Y	J	N	R	O	C	T	E	E	W	S
O	T	U	R	H	M	T	H	U	J	J	Z	X	S	L
W	A	H	W	S	A	S	R	Y	Z	W	L	L	A	X
S	D	X	A	S	Q	T	F	E	L	T	L	D	S	N
O	R	N	T	N	N	U	E	T	C	O	U	H	Q	T
J	O	E	S	K	K	F	A	E	R	I	Z	G	U	S
L	A	V	A	H	C	F	A	N	A	Z	P	T	A	U
E	S	Z	I	F	M	I	U	B	T	Z	L	E	S	C
F	T	L	L	I	E	N	V	L	T	O	F	O	H	X
H	Z	X	J	I	J	G	L	S	A	J	V	K	V	P

Word List

RECIPE
ROAST
ROLLS
SAIL
SALAD
SAUCE
SERVE
SQUANTO
SQUASH
STUFFING
SWEETCORN
TABLECLOTH
TASTE
TASTY
THANKFUL

Thanksgiving Puzzle #16

C	T	P	T	V	A	V	Y	K	Y	W	H	Y	T	R
O	H	H	T	I	O	T	N	Q	W	T	H	L	S	X
R	A	P	V	H	S	F	L	M	I	O	Q	G	Y	D
N	N	T	N	O	U	Q	D	A	T	X	X	Q	R	H
R	K	C	U	S	Y	R	U	C	N	F	K	O	U	Q
Z	S	A	Q	R	Z	A	S	A	F	T	F	X	R	N
Z	G	B	W	W	K	Y	G	D	N	D	I	E	E	C
O	I	B	B	I	X	E	K	E	A	T	Q	C	T	O
X	V	A	U	U	S	S	Y	R	V	Y	U	W	S	L
L	I	G	P	I	N	H	B	M	V	Z	K	M	W	O
Y	N	E	G	K	R	C	B	B	U	C	K	C	E	N
A	G	W	A	M	P	A	N	O	A	G	I	F	R	Y
M	R	C	Q	G	B	X	G	K	N	K	W	F	B	E
W	T	K	Q	D	Q	D	S	E	P	E	Y	E	T	P
B	S	E	L	B	A	T	E	G	E	V	V	T	L	Q

Word List

ATLANTIC
BRADFORD
BREWSTER
CABBAGE
COLONY
CORN
THANKSGIVING
THURSDAY
TISQUANTUM
TURKEY
VEGETABLES
VOYAGE
WAMPANOAG
WISHBONE
YAM.

Thanksgiving Puzzle #17

O	O	N	I	O	N	S	P	P	O	U	H	Q	W	R
T	S	S	J	I	X	P	I	H	K	I	K	R	J	J
N	F	T	W	B	C	R	L	N	T	S	C	B	B	M
A	C	A	R	W	U	C	G	Y	G	K	U	S	C	H
U	B	N	V	N	F	N	R	S	M	H	D	T	F	A
Q	W	D	D	E	E	R	I	S	J	O	I	J	I	R
S	A	I	R	X	C	D	M	Y	E	O	U	R	Y	V
X	M	S	D	O	O	F	A	E	S	K	E	T	W	E
Z	P	H	I	O	L	P	L	A	J	L	I	N	H	S
U	A	U	V	O	H	N	S	P	T	Y	S	I	O	T
R	N	V	C	O	S	S	O	T	A	U	T	U	M	N
E	O	P	S	I	A	Q	E	R	P	T	A	N	H	B
Z	A	A	D	M	U	S	X	Z	A	N	W	X	B	G
F	G	I	R	F	Q	D	S	B	Z	K	L	F	L	E
C	A	S	T	I	S	Q	B	E	N	G	L	I	S	H

Word List

AUTUMN
DEER
DUCK
ENGLISH
HARVEST
MASSASOIT
ONIONS
PILGRIM
PLYMOUTH
SEAFOOD
SETTLER
SQUANTO
SQUASH
STANDISH
WAMPANOAG.

Thanksgiving Puzzle #18

T	C	R	W	S	A	U	C	E	F	E	C	Z	J	R
V	M	O	H	W	I	Q	L	A	V	N	T	O	E	K
I	I	A	K	K	S	U	L	I	R	K	T	B	R	H
N	W	S	Y	M	U	L	T	O	F	I	M	R	R	Y
S	P	T	V	M	B	A	C	R	O	E	N	E	A	N
A	N	T	N	B	N	J	I	U	V	D	W	D	E	T
F	P	U	F	S	J	E	T	O	E	O	I	B	S	H
U	Y	R	F	O	N	E	N	S	L	L	I	V	S	F
D	B	K	B	D	O	T	Q	F	O	R	D	I	G	R
V	H	E	S	Z	Y	T	Y	H	F	A	F	I	Q	C
F	U	Y	G	Q	Z	A	B	M	D	E	P	O	X	J
O	R	V	L	N	M	V	X	A	U	G	A	H	S	R
C	R	A	N	B	E	R	R	Y	L	W	Y	S	F	P
A	B	G	L	U	P	G	X	A	Y	L	M	X	T	O
N	A	T	I	V	E	A	M	E	R	I	C	A	N	S

Word List

AMERICANS
CORN
CRANBERRY
FALL
FEAST
FISH
FOOTBALL
FRIENDS
HOLIDAY
MAYFLOWER
NATIVE AMERICAN
NATIVE
NOVEMBER
ROAST TURKEY
SAUCE

Thanksgiving Puzzle #19

W	T	A	I	T	H	U	R	S	D	A	Y	D	K	K
S	A	J	W	J	T	X	S	M	I	R	G	L	I	P
I	Q	M	K	C	R	A	N	B	E	R	R	I	E	S
W	Z	Q	P	N	D	G	I	C	O	L	Z	T	H	T
V	R	Z	A	A	H	B	B	S	W	L	D	Q	E	H
R	C	Y	I	S	N	A	B	J	G	A	D	F	H	A
Y	A	M	S	A	P	O	R	H	Q	F	R	T	R	N
B	V	U	T	M	H	S	A	V	Z	S	U	C	V	K
Y	U	J	K	O	P	V	Q	G	E	O	R	O	V	S
O	E	J	B	S	R	K	Z	U	M	S	S	R	H	G
B	N	K	H	E	O	M	C	Y	A	S	T	N	U	I
F	A	A	R	T	C	S	L	A	I	N	M	O	J	V
N	U	F	S	U	K	P	P	R	I	B	T	K	G	I
S	R	T	S	R	T	M	W	V	X	K	A	O	D	N
R	W	M	N	H	Y	D	T	Y	L	I	M	A	F	G

Word List

CORN
CRANBERRIES
FALL
FAMILY
HARVEST
PILGRIMS
PLYMOUTH
ROCK
SAMOSET
SQUANTO
THANKSGIVING
THURSDAY
TURKEY
WAMPANOAG
YAMS

Thanksgiving Puzzle #20

G	A	H	X	C	W	D	J	B	F	W	O	L	C	R
L	W	K	B	R	E	A	R	L	J	E	A	T	E	N
S	I	T	E	A	O	P	W	B	T	A	A	W	S	T
P	N	N	N	N	P	I	C	H	C	U	O	S	G	D
C	V	N	I	B	P	E	K	O	O	L	R	M	T	N
O	O	T	I	E	A	O	B	J	F	L	I	K	M	C
W	P	R	O	R	C	V	T	Y	Z	R	I	T	E	G
B	U	H	N	R	C	O	A	A	G	S	T	D	R	Y
A	M	B	H	Y	L	M	L	L	T	S	W	A	A	I
Y	P	K	E	S	E	F	I	O	E	O	T	D	Q	Y
G	K	F	T	A	M	P	O	V	N	E	E	K	J	N
F	I	X	B	U	O	K	R	M	F	I	V	S	A	P
A	N	T	O	C	Z	A	A	U	Z	A	S	W	V	H
H	R	N	K	E	H	M	L	X	B	O	Z	T	Y	C
S	T	T	E	S	U	H	C	A	S	S	A	M	S	U

Word List

COLONISTS
CORN
CRANBERRYSAUCE
FEAST
GRATEFUL
HARVEST
HOLIDAY
MASSACHUSETTS
MAYFLOWER
PIE
PILGRIM
POTATOES
PUMPKIN
TURKEY

Thanksgiving Puzzle #21

W	Y	P	Z	S	M	A	Y	F	L	O	W	E	R	I
J	B	W	M	A	D	T	N	L	Y	L	F	E	I	P
M	H	I	H	G	B	B	H	O	D	E	X	O	I	Z
A	T	N	U	I	J	Z	T	A	V	Q	X	T	Y	A
S	U	U	Z	N	L	L	H	G	N	E	U	Y	W	X
S	O	Z	R	W	U	M	A	E	P	K	M	J	V	D
A	M	N	Q	K	I	L	N	F	I	U	F	B	G	M
S	Y	U	T	R	E	W	K	M	Y	J	U	U	E	V
O	L	T	G	D	F	Y	S	L	T	P	S	T	L	R
I	P	L	M	J	Q	R	G	N	I	K	P	M	U	P
T	I	I	C	S	I	H	I	C	W	G	V	O	P	K
P	H	E	R	U	G	K	V	O	N	G	Z	H	W	G
F	O	T	E	Y	B	L	I	N	O	I	A	Y	M	E
A	B	H	V	L	Z	E	N	E	U	V	U	A	X	E
S	Q	U	A	N	T	O	G	N	I	F	F	U	T	S

Word List

CONE
CUBE
MASSASOIT
MAYFLOWER
NOVEMBER
PIE
PILGRIM
PLYMOUTH
PUMPKIN
SQUANTO
STUFFING
THANKFUL
THANKSGIVING
TURKEY

Thanksgiving Puzzle #22

C	B	P	V	F	P	O	X	S	N	S	A	P	P	Y
C	Y	H	E	P	T	A	G	O	N	O	A	U	A	S
Q	M	L	N	K	N	O	G	Y	C	R	I	D	T	N
O	A	N	I	F	X	A	W	T	A	E	I	T	Z	O
N	Y	N	N	N	X	I	A	L	H	L	E	P	H	V
O	F	H	E	E	D	G	L	X	O	S	B	A	N	E
G	L	N	H	R	O	E	N	H	U	O	R	T	A	M
A	O	E	U	N	L	O	R	H	O	O	H	A	H	B
N	W	E	G	O	G	V	C	D	J	O	E	B	M	E
O	E	X	G	A	E	A	T	E	K	I	U	F	W	R
N	R	R	T	N	S	L	N	C	K	F	E	A	S	T
X	A	N	J	S	L	R	Y	A	J	G	G	O	D	I
M	E	O	A	A	P	I	H	G	R	X	Q	E	C	C
P	V	M	U	U	M	M	K	O	Y	Q	D	N	L	R
C	R	M	J	X	R	G	M	N	J	M	W	W	Q	H

Word List

CYLINDER
DECAGON
FEAST
HEPTAGON
HEXAGON
HOLIDAY
MASSACHUSETTS
MAYFLOWER
NONAGON
NOVEMBER
OCTAGON
OVAL
PARALLELOGRAM
PENTAGON

Thanksgiving Puzzle #23

A	G	Q	N	T	M	G	F	T	E	P	Y	N	T	N
S	D	L	U	S	R	T	A	R	O	E	Z	R	T	M
P	Y	Z	P	A	U	A	A	R	H	O	M	B	U	S
H	V	S	J	R	D	U	P	C	W	K	F	Z	T	R
E	B	I	K	E	Q	R	C	E	W	R	G	X	R	E
R	A	E	Y	S	C	R	I	V	Z	N	F	Q	I	C
E	Y	N	A	H	D	P	B	L	I	O	K	J	A	T
P	L	Y	M	O	U	T	H	F	A	U	I	S	N	A
O	O	W	R	S	Z	I	F	J	D	T	K	D	G	N
L	F	O	H	R	P	U	U	X	I	R	E	G	L	G
Y	D	Q	T	M	T	X	V	I	Z	T	F	R	E	L
G	C	L	K	S	P	I	L	G	R	I	M	N	A	E
O	T	H	A	N	K	S	G	I	V	I	N	G	C	L
N	H	V	B	L	E	S	S	I	N	G	S	Z	V	Q
K	Z	K	E	P	Y	R	A	M	I	D	W	U	G	U

Word List

BLESSINGS
PILGRIM
PLYMOUTH
POLYGON
PYRAMID
QUADRILATERAL
RECTANGLE
RHOMBUS
SPHERE
SQUARE
STUFFING
THANKSGIVING
TRAPEZOID
TRIANGLE
TURKEY

Thanksgiving Puzzle #24

S	P	L	S	D	J	B	E	K	Z	P	C	L	X	B
G	L	V	G	Z	X	I	R	A	R	J	E	A	F	Z
H	R	D	F	O	O	D	A	F	Q	Y	D	V	K	C
K	Y	A	N	C	J	L	L	B	V	A	A	I	M	R
P	F	E	O	F	O	E	C	Z	T	D	R	T	G	A
L	M	R	I	Z	Z	F	E	X	N	I	A	S	R	N
K	M	B	T	H	Y	O	D	R	M	L	P	E	X	B
O	O	N	A	N	M	T	O	P	N	O	F	F	B	E
R	T	R	R	L	O	C	T	K	W	H	H	A	U	R
P	S	O	O	O	E	V	A	M	K	N	D	E	L	R
R	U	C	C	A	W	A	E	A	N	H	Q	O	P	I
G	C	F	E	N	R	M	V	M	V	J	V	Z	G	E
O	D	N	D	L	Z	D	N	E	B	E	X	M	W	S
G	P	A	R	T	Y	G	Q	L	S	E	H	M	C	B
C	E	L	E	B	R	A	T	I	O	N	R	K	J	K

Word List

CELEBRATION
CORN
CORNBREAD
CRANBERRIES
CUSTOM
DECLARE
DECORATION
FESTIVAL
FOOD
HOLIDAY
LEAVES
LOVE
NOVEMBER
PARADE
PARTY

Thanksgiving Puzzle #25

P	R	S	Q	U	A	S	H	P	M	Z	I	N	P	X
N	E	N	I	K	P	M	U	P	M	T	O	Y	L	V
R	E	M	E	M	B	E	R	A	F	V	Q	G	E	O
X	G	W	D	Z	W	S	Y	G	E	D	D	H	N	T
T	H	A	N	K	S	A	T	M	Z	Q	R	V	T	A
H	T	S	H	A	R	E	B	U	H	O	P	D	I	T
A	E	W	S	P	Y	E	S	P	F	F	O	O	F	O
L	W	L	A	A	R	S	Z	E	Y	F	C	F	U	P
R	Z	D	I	M	R	O	A	Y	G	E	I	G	L	W
G	E	Z	O	D	P	S	J	Z	B	K	K	N	J	E
W	G	T	E	S	T	A	R	J	X	P	J	R	G	C
Z	L	O	B	M	Y	S	N	C	J	O	I	H	U	X
H	E	T	C	Z	Q	B	C	O	X	S	Y	E	J	T
W	I	L	L	I	A	M	B	R	A	D	F	O	R	D
V	H	K	O	F	U	X	F	U	D	G	Q	N	F	B

Word List

FEAST
NOVEMBER
PLENTIFUL
POTATO
PUMPKIN
REMEMBER
SHARE
SQUASH
STUFFING
SYMBOL
THANKS
TURKEY
WAMPANOAG
WILLIAM BRADFORD

Thanksgiving Puzzle #26

S	Y	D	K	W	C	G	J	P	M	P	O	C	O	T
N	T	V	W	M	B	E	R	R	I	E	S	V	I	P
A	B	A	F	M	I	H	S	A	U	Q	S	O	U	R
I	V	S	F	N	O	R	W	L	C	T	S	M	E	C
D	S	W	A	O	S	V	G	D	K	A	P	W	E	S
N	W	Q	X	M	R	G	N	L	S	K	O	P	Z	F
I	Z	T	U	A	O	M	X	S	I	L	P	N	P	J
T	O	H	O	A	U	S	A	N	F	P	R	U	L	U
P	F	K	N	T	N	M	E	Y	Y	O	P	P	D	R
A	L	R	U	J	M	T	A	T	C	P	X	Z	E	U
V	H	A	Y	J	J	M	O	K	M	H	O	E	Q	W
S	F	X	T	S	E	V	R	A	H	O	D	G	C	W
C	T	N	J	L	X	D	H	Z	O	W	N	T	M	P
N	N	N	Q	N	Y	G	N	I	D	D	U	P	S	N
J	W	Q	U	H	T	U	O	M	Y	L	P	F	J	G

Word List

AUTUMN
BERRIES
CORN
DEER
HARVEST
INDIANS
MASSASOIT
MAYFLOWER
PILGRIM
PLYMOUTH
PUDDING
PUMPKIN
SAMOSET
SQUANTO
SQUASH

Thanksgiving Puzzle #27

E	Y	A	L	G	A	S	S	E	M	B	L	E	O	C
C	J	N	N	P	H	A	A	U	T	U	M	N	X	N
X	F	X	R	Z	B	B	U	Z	C	U	T	B	E	H
K	E	I	O	F	A	U	B	N	U	T	S	J	R	D
E	U	E	A	D	K	N	S	G	A	V	N	P	E	Y
A	E	T	V	F	I	D	I	F	G	I	A	B	D	A
D	C	Y	H	W	N	A	F	A	R	O	M	A	I	P
X	Y	I	S	J	G	N	J	G	Y	M	Z	R	C	P
T	H	E	R	V	M	C	C	T	W	J	L	S	E	E
Q	S	C	M	E	I	E	R	N	O	S	E	N	L	T
E	I	T	Q	L	M	Z	U	M	N	O	Q	A	P	I
D	F	U	R	W	T	A	F	X	D	Q	Q	E	P	T
K	A	P	P	L	E	P	I	E	A	Q	F	B	A	E
C	L	R	N	O	I	T	A	I	C	E	R	P	P	A
A	R	R	A	N	G	E	M	E	N	T	G	J	Z	N

Word List

ABUNDANCE
AMERICA
ANXIETY
APPETITE
APPLE CIDER
APPLEPIE
APPRECIATION
AROMA
ARRANGEMENT
ASSEMBLE
AUTUMN
BAKING
BEANS
FISH
NUTS

Thanksgiving Puzzle #28

Y	Q	Y	O	V	L	L	R	X	Y	B	J	S	W	L
P	G	X	E	K	I	Q	G	K	K	Z	J	B	G	N
K	C	B	X	C	E	L	E	B	R	A	T	E	Z	A
N	D	N	O	I	T	A	R	B	E	L	E	C	F	I
B	B	C	Y	B	C	U	A	B	E	L	O	V	E	D
M	C	E	K	B	R	V	M	H	R	F	O	J	I	N
Y	C	O	R	P	E	E	B	O	U	Q	U	E	T	J
X	A	R	L	R	O	L	A	R	E	C	Y	O	K	C
P	S	C	C	S	I	D	O	D	O	N	A	D	E	B
G	S	A	A	N	V	E	E	N	O	O	A	T	C	J
N	E	R	N	Y	O	N	S	M	G	L	D	Q	E	M
W	R	E	D	X	B	L	E	S	S	I	N	G	S	R
G	O	T	L	V	I	R	P	B	J	H	N	M	Z	K
S	L	I	E	J	E	K	I	E	L	J	G	G	Y	F
X	E	T	S	C	G	C	A	R	V	E	D	E	W	P

Word List

BELONGING
BELOVED
BERRIES
BLESSINGS
BOUQUET
BREAD
BROOD
CANDLES
CARE
CARVE
CASSEROLE
CATER
CELEBRATE
CELEBRATION
CEREMONY

Thanksgiving Puzzle #29

T	C	R	C	O	N	V	E	R	S	A	T	I	O	N
S	O	E	E	H	L	Y	O	E	G	I	E	H	T	D
I	M	G	N	D	Y	Y	T	F	C	V	D	U	F	D
N	F	Q	X	X	I	A	G	R	I	K	H	L	L	Z
O	O	B	N	F	L	C	E	T	C	O	L	O	N	Y
L	R	Y	L	O	J	S	A	Q	J	D	S	B	T	N
O	T	D	C	Y	R	R	E	L	J	O	X	I	O	L
C	K	O	K	K	E	G	T	V	C	X	N	A	W	K
V	H	F	O	P	R	U	Z	H	O	U	Y	C	X	P
C	T	O	O	N	X	C	U	P	M	L	G	I	M	Q
Z	C	O	F	V	Q	R	X	M	N	L	C	K	G	W
L	C	J	Y	Q	C	Y	O	Y	C	L	A	N	I	J
B	S	B	V	H	G	C	Y	L	W	N	J	V	X	X
C	H	E	R	R	Y	P	I	E	A	X	O	N	D	Z
P	Y	A	M	V	C	O	L	L	E	C	T	I	V	E

Word List

CHERRYPIE
CHOCOLATE
CHURCH
CIDER
CLAN
CLOVES
COLLECTIVE
COLONIST
COLONY
COMFORT
COMMUNITY
CONVERSATION
COOK
COOPERATIVE

Thanksgiving Puzzle #30

C	D	I	U	D	A	Q	R	R	T	V	B	T	G	L
O	K	T	M	E	S	V	S	H	J	L	K	Q	R	A
R	D	P	L	C	V	W	C	D	I	N	N	E	R	E
N	N	F	C	O	R	N	U	C	O	P	I	A	D	M
M	C	J	X	R	D	C	I	Z	E	E	K	E	J	N
E	O	Q	B	A	W	Y	S	F	E	N	T	Y	N	R
A	R	U	V	T	J	D	W	K	O	A	C	R	G	O
L	N	E	K	I	W	B	I	Z	E	A	O	C	I	C
R	B	W	X	O	C	D	S	S	C	C	B	F	G	Y
N	R	G	H	N	O	P	P	I	H	Z	L	B	K	X
D	E	D	N	S	O	E	L	H	X	V	V	F	B	E
L	A	C	N	R	E	E	B	X	C	R	O	W	D	S
W	D	V	C	D	D	S	U	O	I	C	I	L	E	D
Y	Z	D	D	E	L	I	G	H	T	A	X	C	Q	H
W	B	F	C	R	A	N	B	E	R	R	I	E	S	V

Word List

CORN
CORNBREAD
CORNMEAL
CORNMEAL
CORNUCOPIA
CRANBERRIES
CROPS
CROWDS
DECORATIONS
DEEP SEATED
DELICACY
DELICIOUS
DELIGHT
DINNER
DISH

Thanksgiving Puzzle #31

P	D	D	R	E	S	S	I	N	G	J	U	C	O	U
Q	D	A	M	B	X	S	Y	D	Y	G	I	J	Q	F
E	A	S	C	E	T	O	E	D	D	L	I	G	P	L
Y	X	Y	E	R	S	H	A	F	R	B	I	T	G	V
F	E	P	O	M	S	L	S	W	E	R	L	M	R	J
Q	A	F	E	I	B	Z	J	Q	S	E	O	T	A	U
E	F	M	M	C	E	R	P	O	S	A	I	H	I	F
E	G	A	I	J	T	N	A	W	U	T	U	Z	L	A
D	F	G	W	L	K	A	T	C	P	I	Y	Q	I	V
L	D	K	B	S	I	Y	T	E	E	N	Q	V	M	O
E	L	N	P	R	P	A	G	I	R	G	H	L	A	R
L	L	A	A	Q	E	F	L	D	O	T	O	V	F	I
X	F	G	F	F	S	A	Z	G	U	N	A	Q	U	T
Y	L	T	M	N	R	E	D	O	V	C	S	I	E	E
I	C	T	A	A	O	L	Z	M	B	P	K	Z	N	I

Word List

DRESSING
DRESSUP
DUCK
EATING
EFFORTS
EGG BREAD
EMBRACE
ENTERTAIN
EXPECTATIONS
FALL
FAMILIAL
FAMILIAR
FAMILY
FAMISHED
FAVORITE

Thanksgiving Puzzle #32

L	S	S	F	F	Z	W	B	G	S	C	J	Z	U	W
T	R	D	W	U	E	F	B	H	A	N	P	R	F	C
S	R	Z	W	F	L	S	T	Z	S	T	A	T	Y	F
W	X	F	T	I	D	L	T	R	L	Z	H	H	V	B
T	V	E	E	R	T	S	F	I	G	R	D	E	F	B
B	Q	E	V	E	C	I	D	L	V	Z	O	F	R	J
K	W	D	F	P	Y	F	L	G	O	E	O	I	A	N
G	J	I	H	L	H	P	N	F	J	A	F	X	C	G
F	U	N	E	A	K	I	I	M	B	M	T	H	J	V
H	N	G	O	C	R	R	O	T	N	W	B	N	W	G
K	A	U	A	E	E	D	S	X	O	R	C	X	Z	V
T	U	Z	H	S	E	A	S	R	E	W	O	L	F	X
P	C	T	I	E	E	J	S	D	N	E	I	R	F	Z
M	A	D	R	F	P	I	H	S	D	N	E	I	R	F
G	E	F	F	R	I	E	D	T	U	R	K	E	Y	H

Word List

FEAST
FEEDING
FESTIVE
FIREPLACE
FIRESIDE
FLOAT
FLOWERS
FOOD
FREEDOM
FRIED TURKEY
FRIENDS
FRIENDSHIP
FULL
GATHER
GATHERING

Thanksgiving Puzzle #33

P	U	G	O	B	B	L	E	A	S	Z	E	G	X	D
P	N	S	K	G	D	A	S	H	F	B	G	E	E	F
G	F	T	P	M	R	M	K	O	M	B	O	N	O	G
O	I	G	I	B	L	E	T	S	Z	G	U	E	V	O
O	V	Z	N	Y	Y	S	E	S	F	O	R	R	W	U
S	K	P	Z	S	V	B	A	N	L	O	D	A	U	R
E	E	N	Y	A	A	S	C	D	B	S	Z	T	M	M
B	E	B	G	H	R	X	E	F	B	E	R	I	D	E
E	E	I	O	N	G	D	K	I	A	I	A	O	L	T
R	U	T	G	S	I	T	N	G	R	A	Q	N	C	B
R	N	W	H	V	S	V	E	O	W	E	G	S	S	E
Y	H	J	K	X	B	D	I	L	X	O	C	U	G	R
P	I	W	A	K	D	U	O	G	D	S	K	O	D	K
I	N	G	R	A	T	I	T	U	D	E	S	Y	R	F
E	M	W	L	A	C	S	P	U	O	R	G	G	H	G

Word List

GENERATIONS
GIBLETS
GIVING
GIZZARD
GOBBLE
GOD
GOOSE
GOOSEBERRY PIE
GOURD
GOURMET
GRATITUDE
GRAVY
GREENBEANS
GROCERIES
GROUPS

Thanksgiving Puzzle #34

K	M	G	H	O	R	N	O	F	P	L	E	N	T	Y
X	E	E	H	O	L	D	I	N	G	H	A	N	D	S
K	J	A	H	D	N	A	L	T	R	A	E	H	F	V
G	Q	Y	O	E	M	O	H	Y	H	S	D	K	S	I
G	N	D	A	Y	R	K	D	O	M	A	H	H	O	I
H	Q	I	H	D	L	I	L	U	I	F	O	N	T	C
T	T	K	M	S	G	I	T	B	A	S	P	S	Y	H
R	Y	E	Q	O	D	O	Q	A	P	M	E	I	E	R
A	R	L	P	A	C	P	E	I	G	V	V	L	U	C
E	E	N	Y	S	E	E	T	B	R	E	P	N	S	R
H	G	M	W	P	U	A	M	A	X	I	V	U	T	O
Y	J	V	O	I	L	V	H	O	N	L	U	A	S	H
Q	E	H	R	I	R	Z	F	G	H	U	X	T	E	Y
X	Q	O	T	K	E	U	Z	S	S	Q	J	G	U	H
L	D	Y	N	H	O	M	E	W	A	R	D	T	G	P

Word List

GUESTS
HAM
HARVEST
HEARTH
HEARTLAND
HELPING
HERITAGE
HOLDING HANDS
HOLIDAY
HOME
HOMECOMING
HOMEWARD
HOPE
HORN OF PLENTY
HOSPITALITY

Thanksgiving Puzzle #35

J	P	E	K	A	C	Y	E	N	R	U	O	J	K	L
I	I	Y	X	B	C	E	M	L	M	Y	A	C	S	E
J	N	H	O	T	C	H	O	C	O	L	A	T	E	D
D	J	D	N	T	I	L	W	D	X	Y	A	K	V	Y
J	E	A	I	K	H	M	E	T	I	V	N	I	O	P
I	L	I	M	A	I	Y	M	E	D	W	L	J	V	Y
N	L	N	X	D	N	B	M	I	M	H	D	L	X	Y
D	I	D	X	O	J	C	S	N	G	V	Q	N	D	M
I	E	I	J	A	N	S	O	R	S	R	P	D	A	N
A	S	G	M	C	E	M	L	R	Y	K	A	E	U	C
N	M	E	S	T	H	H	E	X	N	G	R	T	K	L
S	G	N	S	E	P	U	Q	U	E	C	K	P	E	H
S	N	O	R	D	G	G	U	K	E	S	Q	N	K	O
A	H	U	K	J	G	S	W	C	Q	P	C	M	R	S
J	T	S	J	R	X	J	I	F	B	U	J	E	M	T

Word List

HOST
HOSTESS
HOT CHOCOLATE
HUGS
HYMNS
ICECREAM
IMMIGRATE
INDIAN CORN
INDIANS
INDIGENOUS
INVITE
JAM
JELLIES
JOURNEYCAKE
JOY

Thanksgiving Puzzle #36

V	L	W	B	G	S	D	E	W	V	Z	P	V	C	J
J	U	I	B	E	Z	L	K	W	E	E	A	L	C	F
I	N	N	S	K	A	I	J	A	J	G	U	D	N	J
B	D	S	C	K	T	M	E	L	E	A	G	R	I	S
U	I	I	T	C	M	J	J	S	X	S	A	Y	S	F
K	J	W	H	Z	I	O	Y	C	J	O	J	J	M	K
C	F	E	O	U	Y	A	P	A	R	I	M	F	F	E
Z	N	N	W	F	D	E	Z	I	A	M	E	P	Z	R
Z	Y	F	U	I	M	A	Y	F	L	O	W	E	R	N
B	K	L	L	O	V	E	V	X	C	U	S	W	G	E
S	E	O	T	A	T	O	P	D	E	H	S	A	M	L
F	H	L	A	U	G	H	T	E	R	M	K	M	L	S
X	L	E	G	A	L	F	E	D	E	R	A	L	N	H
M	A	S	S	A	C	H	U	S	E	T	T	S	M	C
S	G	D	P	N	P	L	I	B	A	T	I	O	N	T

Word List

HOLIDAY
JOYFUL
KALE
KERNELS
KISSES
KITCHEN
LAUGHTER
LEGALFEDERAL
LIBATION
LOVE
MAIZE
MASHED POTATOES
MASSACHUSETTS
MAYFLOWER
MELEAGRIS

Thanksgiving Puzzle #37

I	N	G	A	L	L	O	P	A	V	O	X	Q	D	N
Y	O	H	H	T	H	E	A	Y	X	A	X	L	O	A
E	P	Q	N	S	R	N	L	B	M	A	R	N	B	C
Y	N	Z	Z	U	Z	K	Q	I	X	O	N	O	S	I
V	X	E	T	N	P	K	N	Q	W	L	U	I	E	R
C	S	X	T	Q	U	I	I	W	Z	V	T	S	R	E
N	I	E	L	W	S	T	E	C	U	N	C	A	V	M
M	C	V	I	T	O	N	M	I	M	O	R	C	A	A
I	Y	D	E	R	F	R	Q	E	X	V	A	C	N	E
X	M	R	S	E	O	V	K	R	G	E	C	O	C	V
B	R	H	X	J	C	M	W	E	W	M	K	M	E	I
M	U	L	R	Y	V	T	E	O	P	B	E	O	S	T
G	U	W	N	U	T	S	A	M	V	E	R	O	I	A
U	B	I	N	P	L	B	W	H	S	R	S	D	V	N
F	M	I	N	C	E	M	E	A	T	P	I	E	V	I

Word List

GALLOPAVO
MEMORIES
MINCEMEAT PIE
MINISTER
MIXTURE
MOOD
NATIVEAMERICAN
NETWORK
NEWWORLD
NOVEMBER
NUTCRACKERS
NUTMEG
NUTS
OBSERVANCES
OCCASION

Thanksgiving Puzzle #38

V	P	L	A	N	T	A	T	I	O	N	K	K	Y	G
O	Y	Q	S	P	Q	I	J	Y	E	N	T	Z	I	S
K	G	K	Q	P	L	U	M	S	A	U	C	E	L	L
C	O	A	S	M	N	U	T	V	T	F	E	A	M	J
O	N	B	F	I	V	S	M	Q	H	M	P	J	T	A
R	P	I	C	T	U	R	E	P	E	R	F	E	C	T
H	X	P	L	E	N	T	I	F	U	L	V	P	K	U
T	L	Y	P	Z	Z	A	H	C	F	D	A	R	R	L
U	M	Y	A	V	B	J	T	S	Q	Z	D	M	S	E
O	D	C	A	P	W	P	U	P	N	P	Y	I	R	G
M	D	L	I	V	M	A	O	E	C	O	L	O	N	Y
Y	P	I	E	S	G	R	M	A	T	U	I	S	A	G
L	X	K	K	D	D	A	Y	C	P	L	P	N	D	F
P	P	M	Y	G	N	D	L	E	R	T	J	T	O	S
Z	Q	S	P	X	I	E	P	I	L	G	R	I	M	S

Word List

COLONY
ONIONS
PALS
PARADE
PEACE
PICTUREPERFECT
PIES
PILGRIMS
PLANTATION
PLENTIFUL
PLUMPUDDING
PLUMSAUCE
PLYMOUTH
PLYMOUTHROCK
POULT

Thanksgiving Puzzle #39

T	I	L	Y	Z	U	U	E	O	F	I	Y	T	P	G
S	N	A	T	I	R	U	P	V	W	E	P	L	U	Q
L	R	E	F	U	G	E	H	I	K	X	U	Q	F	I
S	E	I	T	I	R	O	I	R	P	S	M	Z	M	G
R	F	S	S	J	B	X	U	A	N	C	P	D	V	H
J	A	G	E	D	S	T	F	O	N	N	K	K	B	Q
Z	Y	B	H	V	Y	D	I	C	O	R	I	Y	D	U
V	I	L	B	B	I	T	K	I	E	H	N	U	V	I
J	I	E	A	I	C	T	T	Y	R	J	P	T	I	N
B	P	B	Q	E	M	A	A	E	S	I	I	I	C	C
G	V	R	L	H	X	R	J	L	E	N	E	P	F	E
M	J	F	I	A	P	O	E	F	E	D	A	A	C	P
P	E	E	L	E	I	Y	M	P	I	R	I	B	A	I
R	K	E	Q	C	S	P	R	T	A	D	D	R	O	E
E	R	R	E	L	A	T	I	O	N	S	H	I	P	A

Word List

BABYTURKEY
PRAYER
PRIDE
PRIEST
PRIORITIES
PUMPKINPIE
PURITANS
QUINCEPIE
RABBI
REFLECTIONS
REFUGE
REJOICE
RELATIONSHIP
RELATIVES
RELAXATION

Thanksgiving Puzzle #40

R	S	A	A	H	R	C	R	E	L	I	G	I	O	N
O	V	G	Y	V	P	E	K	S	K	Y	Y	V	B	G
A	H	S	N	Q	S	D	U	V	L	C	F	Q	Y	W
S	S	K	A	I	G	L	I	N	K	I	B	Y	R	Q
T	I	H	C	C	N	Q	L	K	I	E	Z	R	E	R
T	L	H	K	D	R	O	J	O	P	O	R	Y	U	X
U	E	H	K	E	E	E	S	K	R	E	N	T	V	M
R	R	L	A	C	M	T	D	A	L	Z	A	S	S	Y
K	R	K	O	U	P	H	A	I	E	B	J	F	S	U
E	X	Q	E	A	V	U	G	I	A	S	M	Y	I	B
Y	G	V	S	S	R	I	O	G	T	T	O	R	J	R
K	R	A	S	O	O	U	A	L	F	A	W	Q	O	O
R	G	L	A	U	T	I	R	J	D	C	S	R	L	O
E	J	S	S	P	O	J	X	Z	Z	R	H	V	Z	T
N	T	J	V	N	J	S	J	V	R	X	Z	Y	B	S

Word List

RELIGION	ROAST	SACRED
RELIGIOUS	ROASTTURKEY	SAGE
RELISH	ROLLS	SATIATED
REUNIONS	ROOTS	SAUCE
RITUAL	RUTABAGA	SEASONINGS

Thanksgiving Puzzle #41

T	S	L	S	W	E	E	T	P	O	T	A	T	O	S
A	P	W	U	P	W	O	D	S	N	R	H	A	O	S
B	I	N	B	P	Q	X	T	I	Z	L	R	G	E	E
L	C	S	H	A	R	I	N	G	D	D	C	U	T	R
E	E	N	P	F	Q	U	P	H	X	Z	G	H	L	T
S	S	S	E	T	T	L	E	R	S	O	Z	O	P	S
E	K	U	J	U	T	F	Z	M	G	C	B	O	S	W
T	S	V	S	B	V	V	Y	A	E	M	C	U	S	O
T	X	T	W	T	W	E	N	X	Y	M	C	P	T	S
I	M	Z	Z	G	E	Y	H	S	T	C	T	N	U	L
N	J	M	F	P	S	N	Q	Z	O	H	A	P	F	Q
G	Z	F	F	L	M	U	A	T	A	U	R	K	F	U
X	Q	F	X	C	A	G	A	N	Q	R	E	C	I	F
O	C	X	Z	S	M	S	K	S	C	T	E	N	N	A
K	Q	S	H	E	H	S	P	L	U	E	J	B	G	D

Word List

SETTLERS
SHARING
SIGH
SPICES
SQUANTO
SQUASH
STRESS
STUFFING
SUCCOTASH
SUSTENANCE
SWEETPOTATO
SYMBOL
SYNAGOGUE
TABLESETTING
THANKS

Thanksgiving Puzzle #42

D	H	T	T	V	S	L	T	H	U	R	S	D	A	Y
U	M	R	H	L	E	Q	A	G	G	T	O	S	G	C
U	Y	A	A	Q	O	Q	H	S	W	V	R	J	L	T
I	T	V	N	K	Q	D	V	B	R	R	D	Y	Q	R
U	O	E	K	G	U	E	J	H	F	E	F	T	T	E
V	M	L	S	E	U	Q	I	N	U	I	V	B	N	A
A	T	E	G	W	V	K	L	Q	N	S	P	I	R	T
C	U	X	I	W	U	W	J	U	C	I	Z	T	N	Y
A	R	U	V	V	N	O	I	T	I	D	A	R	T	U
T	K	X	I	E	A	S	P	I	N	R	U	T	D	N
I	E	G	N	I	D	N	A	T	S	R	E	D	N	U
O	Y	L	G	E	T	R	I	M	M	I	N	G	S	C
N	T	J	M	C	V	G	H	L	A	X	Q	V	B	F
I	B	Y	I	B	Q	Z	T	P	L	F	I	Z	R	Y
G	X	C	J	C	Y	X	L	Q	X	A	L	T	V	F

Word List

THANKSGIVING
THURSDAY
TOM TURKEY
TRADITION
TRAVEL
TREATY
TRIMMINGS
TRIPS
TURNIPS
UNDERSTANDING
UNIFY
UNIQUE
UNIVERSAL
VACATION
VANILLA

Thanksgiving Puzzle #43

J	U	D	L	K	S	X	C	R	N	H	Z	O	Q	T
Y	V	W	Z	E	C	T	G	O	B	M	L	R	N	R
X	I	O	X	W	F	L	S	S	D	I	H	O	S	F
W	E	R	E	J	V	I	F	B	A	E	I	T	Q	W
I	W	S	F	C	N	H	Q	S	N	S	D	M	A	C
L	P	H	L	E	Z	A	S	X	I	I	R	A	K	B
D	O	I	V	H	C	A	Z	V	I	M	S	N	E	D
T	I	P	K	W	W	A	R	M	T	H	X	D	E	C
U	N	Y	C	I	S	R	E	P	I	H	S	R	O	W
R	T	W	Y	R	Q	W	E	L	C	O	M	E	W	H
K	W	N	A	V	E	G	E	T	A	B	L	E	G	R
E	S	M	B	T	N	A	I	R	A	T	E	G	E	V
Y	M	G	J	H	T	H	W	I	N	T	E	R	P	X
S	A	Z	O	P	C	L	U	R	O	K	T	T	I	N
W	Y	R	C	V	A	X	E	Z	E	U	H	V	J	E

Word List

VEGETABLE
VEGETARIAN
VENISON
VIEWPOINT
VISION
WARMTH
WASSAIL
WATTLE
WELCOME
WILD TURKEYS
WINTER
WORSHIP
WORSHIPERS
YAMS

Thanksgiving Puzzle #44

K	E	Q	U	I	N	O	X	U	D	K	H	I	C	D
B	A	C	T	I	V	I	T	Y	E	D	L	A	F	Z
P	Y	V	W	Z	K	Y	Y	A	U	T	S	R	D	Q
B	R	W	N	V	O	N	R	O	C	A	V	Z	D	R
I	A	E	R	I	H	S	K	R	O	Y	E	A	I	X
Y	S	C	J	H	O	U	W	U	P	S	N	U	N	F
P	R	B	K	B	A	L	E	S	T	A	T	T	I	R
U	E	K	B	T	K	M	C	Y	K	P	C	U	H	Y
D	V	L	A	Q	O	C	Q	S	H	P	X	M	C	N
D	I	Q	S	R	P	S	O	W	R	L	O	N	C	A
I	N	C	E	J	C	S	C	V	C	E	N	A	U	Z
N	N	C	B	O	N	V	W	H	U	S	E	L	Z	Q
G	A	F	A	U	C	N	U	V	O	U	D	P	X	N
F	D	O	L	J	C	X	E	F	C	O	U	U	I	K
T	J	J	L	S	V	Y	E	L	L	S	L	T	D	L

Word List

ACORN
ACTIVITY
ANNIVERSARY
APPLES
AUTUMNAL
BACK TO SCHOOL
BALES
BASEBALL
EQUINOX
PUDDING
YELLS
YORKSHIRE
ZANY
ZESTY
ZUCCHINI

Thanksgiving Puzzle #45

E	B	E	E	T	A	M	I	L	C	T	M	O	F	N
U	G	E	I	K	T	M	O	B	C	Q	U	A	X	D
J	C	N	A	K	O	R	V	Z	V	O	C	U	N	Z
K	U	I	A	U	M	X	H	E	G	X	I	V	E	E
W	C	A	D	H	T	O	M	N	S	H	N	M	E	Y
E	W	N	A	E	C	Y	I	T	V	V	Z	U	W	F
T	F	M	Q	R	R	H	U	B	Y	S	E	C	T	M
B	P	P	E	S	T	N	U	C	Y	A	H	F	E	E
O	M	Q	M	O	T	R	H	A	U	O	S	W	B	D
G	A	T	L	S	N	I	D	Z	I	D	O	P	R	E
A	X	C	E	I	L	H	A	C	L	B	L	K	X	W
Q	M	H	N	L	T	J	E	O	F	A	L	F	V	W
O	C	G	Y	R	C	Z	C	I	X	Y	O	A	D	P
Y	R	S	I	T	J	C	O	L	L	E	G	E	Z	Q
A	P	B	V	S	B	O	U	N	T	Y	I	Z	A	E

Word List

BEAUTY
BETWEEN
BIRTHDAYS
BLAZE
BOUNTY
BURNING
CHANGE
CHESTNUTS
CHILLY
CHOICE
CIDER
CLIMATE
CLOTHING
COLDS
COLLEGE

Thanksgiving Puzzle #46

F	F	S	F	I	S	O	A	C	R	O	P	S	D	A
R	M	C	E	Q	W	A	L	Q	F	H	R	I	A	F
Q	Y	O	L	S	B	K	O	A	W	T	V	M	A	E
T	K	M	E	N	N	I	O	N	F	U	D	I	R	H
O	T	P	C	L	Q	O	C	O	Y	S	E	K	Y	C
G	K	E	T	N	C	Z	I	I	X	E	C	Z	P	O
D	H	T	I	U	O	H	D	T	T	I	I	J	V	L
Q	L	I	O	C	U	Z	L	A	A	R	D	N	R	U
C	C	T	N	O	N	D	H	C	M	R	U	N	M	M
O	O	I	P	L	T	C	L	U	B	E	O	X	B	B
R	L	O	V	O	Y	A	W	D	C	B	U	C	N	U
N	O	N	U	R	F	E	A	E	I	N	S	N	E	S
Z	R	B	O	F	A	J	W	D	O	A	Y	J	Y	D
G	H	E	Q	U	I	N	O	X	L	R	X	Q	G	A
H	R	I	N	L	R	F	Y	G	L	C	D	V	J	Y

Word List

COLOR
COLORFUL
COLUMBUS DAY
COMPETITION
COOL
CORN
COUNTY FAIR
CRANBERRIES
CROPS
DECIDUOUS
DECORATIONS
EDUCATION
ELECTION
EQUINOX
FAIR

Thanksgiving Puzzle #47

T	S	E	V	A	E	L	G	N	I	L	L	A	F	L
F	R	E	E	Z	I	N	G	C	J	T	T	R	L	K
H	J	I	G	D	T	J	A	L	O	I	J	G	U	Y
H	D	S	C	J	L	S	L	S	C	J	U	F	A	N
X	O	W	G	K	P	L	Q	L	F	W	O	R	Q	P
O	C	C	R	I	O	J	A	R	A	X	O	O	Y	P
F	L	U	K	H	T	R	E	B	P	F	E	W	G	C
E	Y	H	C	E	G	V	T	F	T	E	O	W	Z	Z
S	F	P	E	U	Y	X	F	R	L	O	W	S	C	U
T	F	R	P	C	R	C	A	O	E	F	O	F	L	U
I	D	I	I	Q	X	B	M	S	P	A	A	F	P	S
V	L	Q	I	E	V	S	I	T	E	L	T	J	E	Y
A	E	J	C	O	N	N	L	T	L	M	U	R	B	V
L	I	L	E	L	V	D	Y	T	A	C	I	V	Q	D
T	F	C	B	W	Z	E	S	K	Y	F	D	Q	X	A

Word List

CUCURBITA
FALL
FALLING LEAVES
FAMILY
FESTIVAL
FIELD
FIRES
FLU
FOOTBALL
FORAY
FREEZING
FRIENDS
FROST
HOCKEY
TRICK OR TREAT

Thanksgiving Puzzle #48

R	E	T	A	E	H	T	D	H	I	G	C	H	G	O
O	K	S	W	W	Y	M	A	I	R	S	O	N	M	K
T	H	Q	T	E	V	L	G	A	Q	X	I	Q	H	G
M	W	A	K	I	L	S	S	S	L	K	H	E	M	B
H	H	C	R	O	B	S	U	R	I	O	A	H	T	R
G	O	P	W	V	H	A	O	H	R	L	U	E	F	F
H	Y	E	Y	O	E	H	H	S	T	L	W	A	X	L
M	E	M	P	H	P	S	E	H	S	Y	Y	T	B	L
N	O	P	N	R	A	R	T	D	H	S	D	K	K	D
J	E	F	D	A	A	R	R	M	Z	P	O	Z	Q	S
R	T	G	G	C	S	U	V	P	O	E	H	A	B	K
Q	W	A	I	O	O	T	B	E	Q	O	G	E	J	R
S	O	N	B	G	L	T	I	W	S	Y	N	M	Q	Q
G	G	V	R	Y	T	F	O	C	I	T	D	A	R	A
H	R	C	G	Y	N	X	D	V	S	U	P	G	N	D

Word List

GAME
GOLF
GOURDS
GRASSHOPPER
GYMNASTICS
HABITS
HALLOWEEN
HARVEST
HARVEST MOON
HEALTH
HEAT
HEATER
HIKING
HOCKEY
HORSERACING

Thanksgiving Puzzle #49

N	J	S	E	N	A	C	I	R	R	U	H	P	N	F
U	N	D	I	D	Y	T	A	K	F	Y	F	I	H	O
X	M	I	G	R	A	T	I	O	N	W	B	M	V	E
X	T	I	N	S	E	R	V	W	T	G	U	F	R	O
V	G	X	N	S	H	K	A	F	Q	Q	J	U	L	K
M	H	G	G	F	U	T	Q	G	M	J	T	K	H	O
A	U	S	L	M	L	M	N	F	N	A	Y	F	N	E
I	V	S	D	O	C	U	M	O	N	A	T	D	T	F
Z	U	J	R	L	G	M	E	E	M	H	I	A	K	Q
E	B	Y	A	G	C	S	S	N	R	Q	L	D	X	B
U	J	E	W	M	C	L	E	H	Z	N	Q	S	N	M
O	M	K	Z	U	H	M	V	T	D	A	T	R	N	I
F	W	C	C	T	V	X	A	N	Y	V	U	C	T	N
C	I	O	C	X	C	R	E	B	M	E	V	O	N	E
Y	P	J	N	J	F	J	L	H	D	S	X	E	T	N

Word List

HURRICANES
INDIAN
INFLUENZA
JAM
JOCKEY
KATYDID
LATE
LEAVES
LOGS
MAIZE
MIGRATION
MONTHS
NATURE
NOVEMBER
SUMMER

Thanksgiving Puzzle #50

U	R	I	I	T	Y	E	Q	T	P	G	I	O	L	Q
U	N	P	M	L	D	N	U	C	U	Q	C	P	U	L
R	A	P	L	I	B	C	A	E	I	T	V	I	J	G
Y	A	U	S	A	O	H	R	X	O	N	L	J	S	P
N	P	T	Y	O	Y	P	T	B	G	T	C	V	G	U
J	U	D	U	X	J	G	E	O	S	R	Q	I	L	M
O	P	T	A	L	I	R	R	N	Q	F	R	V	P	P
T	I	L	S	X	F	S	B	O	H	B	D	F	W	K
O	N	N	A	D	J	V	A	P	U	O	R	T	B	I
R	R	N	Z	N	F	A	C	O	Q	N	U	X	C	N
C	L	N	I	Z	N	O	K	M	I	F	D	S	B	S
H	S	N	O	M	M	I	S	R	E	P	T	Y	E	K
A	X	Z	Y	X	P	I	N	E	C	O	N	E	S	D
R	P	A	R	T	I	E	S	G	U	Z	X	R	S	U
D	X	S	P	R	E	W	I	N	T	E	R	A	E	H

Word List

NUTS
OCTOBER
OPENHOUSE
ORCHARD
OUTSIDE
PARTIES
PERSIMMONS
PICNIC
PINECONES
PLANNING
PLAYGROUND
PREWINTER
PUMPKINS
QUARTERBACK
QUILTS

Thanksgiving Puzzle #51

K	L	O	E	X	V	D	Z	B	K	U	J	R	G	P
L	Z	O	M	Y	W	W	F	S	G	I	E	D	R	E
N	Y	K	R	Y	C	Y	J	J	Q	C	B	I	J	U
S	S	B	H	A	H	I	C	O	R	Q	J	O	R	S
L	C	B	V	O	K	S	C	E	N	I	C	E	C	F
E	H	W	W	K	O	I	A	C	U	P	B	A	N	G
E	O	S	S	Z	X	T	N	D	B	M	R	O	S	S
T	O	R	F	E	I	P	O	G	E	E	S	B	T	C
V	L	E	B	O	A	O	A	T	C	A	Z	S	A	E
U	L	U	N	N	X	S	P	R	E	H	G	L	O	N
N	A	N	S	S	P	E	O	S	J	S	J	A	C	E
J	P	I	D	E	S	W	P	N	Y	H	H	U	N	R
L	Q	O	B	T	S	M	X	O	A	C	H	T	I	Y
V	U	N	R	I	A	L	R	A	L	L	Y	I	A	G
E	M	K	U	P	H	O	C	W	K	S	A	R	R	Z

Word List

RAINCOATS	RITUALS	SEASON
RAKING	SCARECROWS	SEASONAL
RALLY	SCENERY	SEPTEMBER
RECREATION	SCENIC	SLEET
REUNION	SCHOOL	SNAP

Thanksgiving Puzzle #52

G	N	V	S	H	L	S	J	H	S	L	R	U	D	C
W	W	Y	S	T	I	S	Y	M	M	O	G	O	S	A
D	B	F	T	N	O	Q	N	M	T	L	C	E	Q	G
T	A	Y	N	H	T	R	N	U	S	S	H	C	C	X
E	B	E	U	W	A	O	M	E	G	U	X	E	E	M
M	T	S	O	T	S	N	I	S	X	G	P	R	C	R
P	T	Q	P	W	O	D	K	F	C	R	L	P	R	W
E	A	U	P	G	U	U	Z	S	L	U	M	E	L	D
R	I	I	Z	T	R	R	R	G	G	F	S	S	M	Y
A	L	R	S	Y	W	U	X	I	Y	I	T	L	Q	W
T	G	R	S	U	M	M	E	R	S	R	V	V	X	X
U	A	E	J	R	W	R	B	H	A	M	W	I	A	X
R	T	L	Z	H	F	X	A	W	A	E	Z	U	N	A
E	E	S	H	T	O	U	R	N	A	M	E	N	T	G
N	S	H	R	T	E	A	C	H	I	N	G	L	C	D

Word List

SNUGGLE.
SOCCER
SQUIRRELS
STORMS
STRAW
STUDIES
SUMMER
SUPPLY
TAILGATES
TEACHING
TEMPERATURE
TENNIS
THANKSGIVING
TOURISM
TOURNAMENT

Thanksgiving Puzzle #53

Y	T	E	I	R	A	V	R	V	N	F	L	N	S	S
T	P	T	V	J	S	C	Z	M	T	W	Q	E	F	N
A	R	Y	V	O	I	K	U	A	W	A	I	S	Z	E
E	E	P	C	Q	T	T	C	E	L	R	Q	I	B	L
R	T	R	M	N	U	I	S	T	E	M	X	X	N	O
T	N	V	H	A	U	Y	N	S	U	W	S	N	D	O
R	I	A	J	Q	J	S	D	G	F	F	Q	M	Q	W
O	W	O	L	N	H	L	A	T	U	R	K	E	Y	E
K	R	Z	H	I	R	N	U	H	Y	S	X	I	X	D
C	Y	G	X	O	X	G	W	E	A	T	H	E	R	D
I	O	E	W	W	E	E	K	E	N	D	A	G	U	I
R	M	L	L	L	D	I	I	T	R	A	V	E	L	N
T	R	W	S	L	G	J	O	A	V	A	M	Z	L	G
Z	T	F	H	R	O	M	S	W	V	E	V	Z	U	S
M	I	N	K	P	O	W	E	A	T	H	E	R	O	B

Word List

AUTUMN
TRAVEL
TRICK OR TREAT
TURKEY
VARIETY
VOTING
WARM
WEATHER
WEATHER
WEDDINGS
WEEKEND
WINTER
WOOLENS
WORLDSERIES
YELLOW

Thanksgiving Puzzle #54

E	C	H	O	P	F	Y	P	C	W	I	V	H	H	Y
K	B	I	L	I	H	C	G	S	H	N	K	O	K	Q
E	L	D	C	C	F	B	I	G	Y	U	V	B	L	E
P	O	J	B	I	P	C	L	B	K	O	N	W	M	M
N	A	L	A	N	N	I	J	F	I	H	B	K	P	L
W	M	O	C	N	D	N	G	O	E	K	A	B	F	X
B	Z	Z	K	L	A	K	A	U	C	G	Y	H	Q	V
U	V	A	Y	B	U	T	E	M	N	C	W	V	M	B
H	H	Z	A	D	U	A	M	E	O	R	X	O	X	L
T	N	Z	R	S	P	M	R	S	R	N	S	H	A	O
P	S	S	D	U	R	D	P	Q	R	S	U	S	D	O
E	J	D	P	M	L	A	O	Y	O	I	B	J	X	M
L	Y	U	F	I	G	E	V	L	X	E	V	N	S	T
O	S	B	H	F	T	D	B	K	C	O	A	R	S	E
S	Y	C	A	R	V	I	N	G	X	S	I	Y	A	R

Word List

BACKYARD
BAKE
BIG
BLOOM
BLOSSOM
BOYS
BUDS
BUMPY
CARVING
CHILDREN
CHILI
CHOP
CHUNK
CINNAMON
COARSE

Thanksgiving Puzzle #55

T	O	P	E	P	A	T	I	B	R	U	C	U	C	O
E	P	F	S	C	U	L	T	I	V	A	T	I	O	N
V	V	M	A	M	K	N	A	I	G	T	G	N	I	N
S	E	I	K	O	O	C	S	N	U	D	U	Y	F	L
B	E	X	D	Z	Y	L	I	O	Q	R	G	A	P	J
N	H	A	Y	B	K	T	T	C	O	O	K	I	N	G
D	Q	I	X	T	C	U	D	B	L	D	P	P	L	N
N	E	Z	Z	E	C	O	J	O	Q	I	S	O	D	N
C	C	L	N	S	F	Q	C	P	J	S	C	C	R	M
Z	O	N	I	Y	U	E	F	R	D	H	O	U	Y	Q
Z	O	N	J	C	S	I	X	E	P	E	O	N	U	Y
C	P	E	T	L	I	A	W	Z	A	S	K	R	I	O
C	U	M	A	E	A	O	D	I	E	T	I	O	X	P
O	U	P	L	T	S	Z	U	E	Y	L	N	C	W	U
I	S	X	M	L	C	T	W	S	U	O	G	V	B	X

Word List

CONNECTING
CONTEST
COOKIES
COOKING
COOKING
CORNUCOPIA
CUCURBITA PEPO
CULTIVATION
CUTOUT
DELICIOUS
DIET
DISHES
DRY
EAT
ECOLOGY

Thanksgiving Puzzle #56

D	O	A	F	R	O	N	T	D	O	O	R	U	E	N
N	A	T	I	V	E	A	M	E	R	I	C	A	N	S
F	A	C	E	S	G	I	R	L	S	I	S	Y	G	R
F	I	E	L	D	S	J	L	D	F	Z	Z	S	E	A
F	E	S	T	I	V	E	M	O	Q	A	E	B	G	M
F	Z	S	Z	D	Q	R	F	S	L	I	I	J	R	Y
Q	A	S	D	Y	B	C	U	A	L	F	W	A	E	R
R	A	M	H	R	Q	O	N	I	V	V	D	A	E	U
H	A	U	Y	Q	M	O	M	J	F	O	F	Y	N	T
V	Y	V	I	R	I	A	X	E	F	U	R	C	D	X
Q	U	P	O	T	F	H	E	S	R	C	T	I	A	S
C	V	N	A	B	E	D	F	U	W	I	T	L	T	T
N	E	L	A	R	O	Q	J	N	U	M	O	Q	L	E
U	E	B	W	G	S	H	W	R	B	N	Y	C	B	P
O	R	U	H	D	R	N	F	F	I	B	R	O	U	S

Word List

ELATION
ENORMOUS
FACES
FAMILIES
FAVORITE
FEED
FESTIVE
FIBER
FIBROUS
FIELDS
FRONTDOOR
FRUIT
GIRLS
GREEN
NATIVE AMERICANS

Thanksgiving Puzzle #57

J	A	E	L	K	Q	L	E	A	V	E	S	V	J	M
D	B	S	E	S	Q	U	S	E	G	H	X	K	S	H
C	I	L	F	S	L	Q	S	R	B	I	O	J	J	W
H	O	N	E	J	I	I	O	I	Q	R	N	J	O	Y
G	E	P	G	V	Q	U	G	K	S	T	Q	C	Q	C
O	I	A	R	R	N	H	L	H	I	F	I	I	M	S
I	H	Y	L	D	E	H	O	S	T	T	R	W	P	L
J	A	R	F	T	V	D	A	L	C	W	C	F	T	Q
K	P	E	R	P	H	M	I	R	I	L	Z	H	B	A
Y	P	C	S	M	I	Y	F	E	V	D	Y	Z	E	W
F	Y	O	F	D	R	B	V	M	N	E	A	U	Y	N
X	R	R	X	H	I	H	D	J	E	T	S	Y	P	E
D	C	G	W	R	B	K	F	O	I	D	S	T	G	L
L	A	R	G	E	A	B	Z	N	H	E	A	V	Y	N
H	A	L	L	O	W	E	E	N	F	Q	S	R	A	O

Word List

GROCERY
GROUND
HALLOWEEN
HAPPY
HARVEST

HEALTHY
HEAVY
HOLIDAY
INGREDIENTS
JOY

KIDS
KITCHEN
LARGE
LEAVES
LIGHT

Thanksgiving Puzzle #58

J	C	J	U	D	E	E	S	Y	N	U	T	M	E	G
I	V	K	M	D	M	M	B	M	C	U	O	L	O	R
X	G	M	L	O	W	C	A	L	O	R	I	E	G	T
H	I	V	F	J	T	R	M	S	S	M	D	K	M	Y
C	Q	S	C	J	K	F	N	V	H	E	E	R	A	O
D	N	P	U	E	W	Y	J	U	P	T	U	G	D	Z
T	M	B	T	O	V	H	M	H	M	U	O	D	A	D
M	U	Y	H	X	I	A	K	X	O	E	Q	V	X	3
E	I	M	C	E	O	T	U	K	W	R	R	P	E	B
M	S	B	H	J	B	P	I	F	G	E	A	O	K	N
O	E	J	B	F	X	B	I	R	I	R	L	N	U	M
R	N	R	P	D	I	C	A	Y	T	T	A	F	G	S
I	G	G	D	P	D	U	K	R	O	U	S	R	K	E
E	A	M	I	C	R	O	W	A	V	E	N	R	Z	N
S	M	P	A	N	C	A	K	E	S	Y	E	W	V	J

Word List

FATTY ACID
LOW CALORIE
MAD
MAGNESIUM
MARKET
MASH
MEMORIES
MICROWAVE
NUMEROUS
NUTMEG
NUTRITIOUS
OMEGA3
ORANGE
OVEN
PANCAKES

Thanksgiving Puzzle #59

Y	W	H	P	O	K	E	O	T	L	M	T	I	C	J
S	S	D	M	P	I	C	K	I	N	G	J	I	B	S
D	D	Y	H	Z	Q	F	T	T	C	N	T	D	B	N
F	D	X	C	Z	K	U	H	N	A	S	A	S	I	K
Q	N	T	T	P	K	K	A	L	A	Y	H	E	P	W
K	D	K	A	U	F	C	O	L	E	D	T	C	O	E
Z	T	S	P	A	A	P	P	I	I	O	M	B	P	F
M	V	G	D	C	B	I	P	A	R	T	D	H	U	P
J	C	W	Z	Y	Z	E	D	P	P	J	Y	W	L	A
J	M	Q	P	L	F	R	W	M	M	O	G	S	A	T
M	I	P	U	L	P	C	A	T	U	P	E	Q	R	C
N	W	U	R	D	M	E	K	G	L	U	L	I	W	H
A	P	N	E	K	O	O	I	K	P	Q	O	A	E	T
X	C	M	E	X	P	K	H	S	V	U	N	S	N	A
I	Q	L	V	P	R	O	D	U	C	T	I	O	N	T

Word List

PATCH
PATCH
PICKING
PIE
PIERCE
PLANT
PLASTIC
PLUMP
POKE
POPULAR
PRODUCTION
PROTEIN
PULP
PUREE
QUALITY

Thanksgiving Puzzle #60

Q	C	G	G	J	N	B	O	V	S	R	E	J	G	Q
Z	S	Y	N	Y	S	E	U	G	D	J	R	L	M	I
D	I	C	A	I	H	Y	F	C	E	R	O	T	A	D
V	Q	Z	A	F	T	A	H	Z	E	N	J	N	S	S
N	U	S	B	I	R	C	S	Q	S	O	O	I	E	T
V	A	U	G	K	U	W	E	Q	G	I	P	D	L	O
Y	N	I	C	L	N	D	Y	L	T	Y	Z	J	E	O
G	T	P	V	D	E	Y	F	C	E	S	U	T	C	R
L	I	Z	D	R	L	R	E	R	P	S	S	T	T	A
V	T	Q	R	L	T	L	N	Z	D	A	I	F	I	X
Z	Y	A	B	G	L	N	O	A	O	P	R	K	O	Y
N	C	G	S	O	C	Z	S	R	I	O	O	O	N	P
S	Y	H	C	Q	S	L	A	N	E	E	U	Q	Z	B
J	K	E	D	U	P	I	E	T	Z	R	N	M	P	Q
A	R	L	A	E	R	P	S	H	B	W	D	H	Z	G

Word List

QUANTITY
REAL
RECOLLECTION
RIBS
ROAST
ROOTS
ROT
ROUND
SAD
SALE
SCARRED
SEASON
SEEDS
SELECTING
SELECTION

Thanksgiving Puzzle #61

N	D	K	C	D	S	S	S	V	O	E	S	G	S	I
S	H	A	V	K	I	C	L	J	U	N	C	R	D	G
J	H	A	B	G	Z	V	L	B	Z	M	W	F	Y	Y
V	S	A	H	D	J	N	A	D	S	Q	W	V	I	X
Q	H	T	P	I	Z	I	M	E	N	B	Q	Z	A	B
K	O	S	I	E	H	K	S	C	A	P	P	U	O	S
D	V	P	F	N	Y	S	V	V	C	L	I	U	N	T
X	E	R	V	O	E	C	A	P	K	Q	I	A	K	O
T	L	O	A	C	G	S	I	O	S	M	H	O	J	O
I	P	U	T	U	O	K	X	M	E	D	O	D	P	H
X	L	T	B	I	J	F	O	T	S	E	C	I	P	S
V	U	R	L	O	D	O	S	A	H	I	C	G	W	B
S	T	O	C	K	T	F	E	G	Z	C	X	W	T	Z
O	N	E	E	H	J	I	L	O	U	D	C	B	L	L
N	X	J	D	E	U	J	W	Y	V	Y	L	W	Z	A

Word List

SHAPE	SMALL	SPICES
SHOOTS	SMOOTH	SPOIL
SHOVEL	SNACK	SPROUT
SIGHT	SOIL	STEM
SKIN	SOUP	STOCK

Thanksgiving Puzzle #62

S	F	T	B	G	Z	M	F	B	P	O	T	B	Q	P
U	J	T	K	G	Q	D	W	A	M	E	N	D	B	Q
N	Q	O	R	T	K	V	M	W	G	R	T	D	W	M
L	X	G	P	H	I	C	N	D	I	O	M	M	A	M
I	U	E	A	N	T	D	E	W	O	T	Q	W	T	T
G	X	T	E	C	X	W	F	L	W	K	H	P	E	Y
H	S	H	E	J	Y	T	G	F	E	T	B	E	R	X
T	T	E	N	S	M	N	E	S	L	O	A	W	R	T
N	O	R	W	E	I	G	H	T	L	O	E	E	A	O
G	R	G	Q	L	A	C	X	R	K	Y	K	L	R	L
S	E	P	I	A	E	B	S	L	N	L	U	B	F	T
G	L	A	H	G	J	T	Q	E	O	P	O	H	C	V
J	R	K	A	T	R	L	X	O	W	R	D	T	A	K
T	D	H	G	A	A	A	Z	D	N	L	Y	S	Y	O
E	V	I	T	A	M	I	N	A	W	R	D	N	Q	A

Word List

STORE	TOP	WATER
SUNLIGHT	TRAILING	WEDGE
TARTS	TREAT	WEIGHT
TOGETHER	VINE	WELL KNOWN
TOOL	VITAMINA	WITHER

Thanksgiving Puzzle #63

A	W	F	N	H	P	M	D	C	H	O	P	X	R	L
Z	J	X	E	X	A	P	H	Q	E	J	R	A	N	S
Y	Q	B	L	O	O	M	Y	D	C	S	T	P	Y	Z
P	P	F	M	V	W	B	L	O	S	S	O	M	H	S
Q	S	W	O	R	K	S	P	A	C	E	Y	H	Y	Y
B	C	N	C	A	U	T	U	M	N	W	U	O	W	L
A	B	H	V	M	X	A	B	K	V	I	B	O	D	W
C	U	N	I	U	E	U	J	B	N	S	O	Q	S	T
K	D	E	S	L	M	Q	W	G	A	U	G	N	Y	L
Y	S	R	S	P	I	X	F	G	S	K	H	K	O	I
A	X	D	Y	G	N	I	V	R	A	C	E	C	P	I
R	V	L	L	W	V	S	L	C	H	P	F	T	G	J
D	R	I	L	G	D	L	V	B	U	U	P	T	A	E
W	Y	H	C	U	B	P	D	G	I	H	V	O	J	B
I	D	C	P	J	G	V	J	L	C	G	A	U	Z	K

Word List

AUTUMN
BACKYARD
BAKE
BIG
BLOOM
BLOSSOM
BOYS
BUDS
BUMPY
CARVING
CHILDREN
CHILI
CHOP
CHUNK
WORKSPACE

Thanksgiving Puzzle #64

V	Y	S	S	D	J	D	E	L	I	C	I	O	U	S
J	C	X	E	G	R	S	K	Q	A	I	U	Z	B	Q
U	O	R	C	I	D	N	L	I	Y	C	Y	J	W	Z
R	Y	B	I	O	K	R	P	X	C	I	C	O	L	A
R	N	R	T	C	O	O	L	O	U	N	O	S	C	H
T	F	E	D	R	C	K	O	X	V	N	N	I	O	C
D	U	N	O	U	V	K	I	C	Y	A	T	K	A	O
Q	X	O	N	H	I	Y	Q	N	A	M	E	D	R	N
L	C	R	T	N	Q	R	M	E	G	O	S	W	S	N
A	O	L	G	U	D	D	V	E	Z	N	T	L	E	E
C	J	S	J	I	C	S	R	A	C	D	I	E	T	C
W	Y	H	S	C	L	T	L	Y	J	N	S	N	J	T
R	X	H	W	Q	T	Z	V	U	O	K	Q	I	X	I
T	E	E	N	O	I	T	A	V	I	T	L	U	C	N
S	C	U	C	U	R	B	I	T	A	P	E	P	O	G

Word List

CINNAMON
COARSE
CONNECTING
CONTEST
COOKIES
COOKING
COOKING
CORNUCOPIA
CUCURBITA PEPO
CULTIVATION
CUTOUT
DELICIOUS
DIET
DISHES
DRY

Thanksgiving Puzzle #65

V	A	D	J	F	Q	Q	F	N	E	N	W	P	M	K
Z	F	R	Q	R	I	E	A	N	O	D	E	E	F	C
E	M	E	T	U	V	N	M	L	G	I	H	I	R	H
L	Z	B	C	I	E	O	I	E	I	D	T	Z	Q	K
E	B	E	T	T	L	R	L	C	R	F	V	A	Z	M
Z	R	S	S	Y	O	M	I	O	L	K	X	J	L	V
I	E	F	K	V	V	O	E	L	S	I	D	I	B	E
F	R	S	I	K	J	U	S	O	S	E	C	A	F	Z
F	L	E	D	B	O	S	T	G	A	L	Z	Q	R	K
I	D	X	B	L	R	Z	M	Y	P	O	N	C	N	G
C	G	F	V	I	E	O	M	S	W	G	T	F	G	O
G	C	O	I	R	F	I	U	H	U	F	H	L	Z	V
Q	B	V	L	E	E	G	F	S	N	J	B	C	E	K
T	Z	W	U	W	A	F	R	O	N	T	D	O	O	R
I	S	D	G	R	T	F	A	V	O	R	I	T	E	U

Word List

EAT
ECOLOGY
ELATION
ENORMOUS
FACES
FAMILIES
FAVORITE
FEED
FESTIVE
FIBER
FIBROUS
FIELDS
FRONTDOOR
FRUIT
GIRLS

Thanksgiving Puzzle #66

U	J	Q	R	X	H	O	M	T	B	Q	Y	P	K	N
B	I	N	L	Z	Y	Y	P	Z	X	Q	R	N	O	E
C	N	G	O	R	P	P	O	I	S	D	E	A	F	H
Y	G	R	K	Y	U	F	P	T	L	M	C	O	P	C
K	R	O	Q	K	R	K	K	A	G	V	O	X	A	T
T	E	U	D	O	Y	H	S	T	H	T	R	L	Y	I
T	D	N	H	O	H	A	K	Q	A	K	G	L	O	K
S	I	D	J	J	T	L	L	H	U	X	R	O	K	G
E	E	T	G	C	L	L	C	J	O	A	Z	M	W	V
V	N	K	Y	L	A	O	X	Z	N	L	Y	N	J	R
R	T	I	T	O	E	W	E	G	Q	V	I	C	M	N
A	S	D	G	K	H	E	J	G	A	L	R	D	E	S
H	G	S	S	B	I	E	B	E	R	K	V	E	A	D
I	I	J	D	Q	M	N	H	N	X	A	R	I	S	Y
P	Z	H	W	X	J	W	V	L	P	G	L	D	D	Z

Word List

GNARLY	HAPPY	INGREDIENTS
GREEN	HARVEST	JOY
GROCERY	HEALTHY	KIDS
GROUND	HEAVY	KITCHEN
HALLOWEEN	HOLIDAY	LARGE

Thanksgiving Puzzle #67

N	J	C	W	P	J	X	Y	H	E	E	H	N	O	S
W	R	K	R	M	G	M	S	P	G	L	R	F	G	U
G	D	M	D	E	R	A	E	N	N	I	F	J	N	O
F	S	I	Q	B	M	A	A	M	E	W	T	X	X	I
3	M	C	C	E	Y	R	A	Z	O	K	H	R	N	T
A	A	R	N	A	O	M	N	N	S	R	G	R	M	I
G	D	O	L	U	Y	J	A	U	L	O	I	I	B	R
E	L	W	E	Q	M	T	X	G	T	B	L	E	O	T
M	W	A	A	Z	M	E	T	V	N	M	P	L	S	U
O	J	V	V	N	W	A	R	A	W	E	E	A	U	N
Q	V	E	E	L	M	U	R	O	F	G	S	G	J	H
N	C	O	S	Y	X	U	E	K	U	L	X	I	Q	J
M	S	P	S	O	O	K	C	O	E	S	F	O	U	D
D	N	V	V	P	B	T	J	W	J	T	K	D	L	M
R	L	O	W	C	A	L	O	R	I	E	S	N	Q	K

Word List

FATTY ACID
LEAVES
LIGHT
LOW CALORIE
MAD
MAGNESIUM
MARKET
MASH
MEMORIES
MICROWAVE
NUMEROUS
NUTMEG
NUTRITIOUS
OMEGA3
ORANGE

Thanksgiving Puzzle #68

V	M	P	C	X	P	E	I	K	P	B	B	P	B	P
L	B	Q	U	C	R	R	E	V	P	H	A	E	R	F
C	S	Q	J	E	D	L	O	M	W	N	V	O	Y	E
P	L	A	S	T	I	C	U	T	C	H	D	G	V	E
P	V	R	W	W	O	L	H	A	E	U	S	S	X	W
X	I	I	C	P	P	H	K	I	C	I	I	L	U	B
Y	P	C	D	X	I	E	F	T	L	X	N	P	A	V
B	M	I	K	L	S	E	I	C	N	D	L	A	I	W
L	L	U	P	I	T	O	R	Q	O	E	Z	R	U	E
C	F	I	A	I	N	M	R	C	M	V	A	R	E	K
H	E	X	T	L	H	G	T	M	E	L	E	P	B	O
T	U	Q	C	T	N	A	L	P	U	L	P	N	O	P
T	I	I	H	S	K	N	K	P	H	P	V	L	U	S
K	Z	R	W	A	K	T	O	A	X	E	Q	L	U	T
H	P	A	T	C	H	P	E	Y	V	Y	E	E	M	P

Word List

OVEN
PANCAKES
PATCH
PATCH
PICKING
PIE
PIERCE
PLANT
PLASTIC
PLUMP
POKE
POPULAR
PRODUCTION
PROTEIN
PULP

Thanksgiving Puzzle #69

K	T	N	C	I	O	O	L	Z	X	S	A	D	B	I
J	N	I	O	E	I	U	L	Z	O	Q	X	J	L	L
L	H	Q	C	I	W	F	P	M	S	Z	I	I	B	M
H	Y	H	U	K	T	D	G	X	A	E	D	S	A	L
S	I	L	Q	A	E	C	X	R	L	S	A	O	A	K
Q	G	Z	H	T	L	E	E	G	E	R	Y	S	Q	S
R	U	I	H	U	T	I	R	L	N	D	N	U	O	R
R	E	A	K	Y	S	G	T	U	L	R	R	I	G	N
W	D	J	N	T	W	D	B	Y	P	O	F	O	F	X
K	H	A	O	T	E	R	Z	N	S	A	C	K	T	I
E	R	O	L	R	I	X	Q	E	W	S	L	E	B	Q
G	R	I	R	C	L	T	E	Y	O	T	P	W	R	N
H	X	A	B	J	W	D	Y	Z	N	B	O	V	J	V
E	C	M	U	S	S	Q	J	E	J	Z	T	T	Y	Y
S	C	U	A	E	K	Z	I	A	Z	R	E	A	L	H

Word List

PUREE
QUALITY
QUANTITY
REAL
RECOLLECTION
RIBS
ROAST
ROOTS
ROT
ROUND
SAD
SALE
SCARRED
SEASON
SEEDS

Thanksgiving Puzzle #70

A	S	O	R	X	L	S	J	M	T	H	E	R	L	T
I	N	E	N	J	O	I	P	Z	Z	H	R	R	Q	O
M	V	C	P	T	D	I	O	I	T	Z	T	M	G	T
V	T	V	T	A	V	R	J	P	C	U	N	N	E	L
I	Q	I	E	N	H	J	U	C	S	E	O	U	L	D
S	B	F	Y	O	U	S	Y	D	R	A	S	R	X	R
K	S	T	O	O	H	S	E	U	Q	S	N	J	P	W
I	U	B	X	Y	J	M	M	O	S	B	O	H	E	S
N	D	U	K	R	D	J	X	A	N	M	W	I	F	Z
C	Q	S	N	A	C	K	L	P	L	T	O	U	L	Y
M	H	J	W	U	O	T	U	E	V	L	I	O	T	F
X	Z	T	W	K	G	O	V	K	L	G	B	E	T	F
W	H	X	F	O	S	O	I	C	N	G	S	I	X	H
T	H	G	I	S	H	G	N	I	T	C	E	L	E	S
X	I	A	B	S	N	S	E	L	E	C	T	I	O	N

Word List

SELECTING
SELECTION
SHAPE
SHOOTS
SHOVEL
SIGHT
SKIN
SMALL
SMOOTH
SNACK
SOIL
SOUP
SPICES
SPOIL
SPROUT

Thanksgiving Puzzle #71

S	U	N	L	I	G	H	T	P	Y	A	E	O	U	S
Y	G	U	N	K	T	R	E	A	T	P	O	T	T	Y
B	F	X	Y	W	S	Y	S	I	V	Y	B	R	O	A
T	T	B	D	D	E	V	Y	T	G	T	A	I	X	H
P	R	D	Z	I	T	W	I	A	F	T	H	Y	S	F
A	M	A	U	H	F	J	S	T	E	M	L	S	A	O
I	S	S	I	S	T	O	R	E	A	B	K	P	M	E
V	M	K	I	L	E	W	I	Z	R	M	I	Q	C	L
L	A	H	N	N	I	G	U	E	S	E	I	D	X	A
V	F	N	I	D	H	N	H	M	Q	S	R	N	Y	B
H	L	V	I	K	R	T	G	T	O	O	L	C	A	Q
H	S	C	C	M	E	K	E	X	N	X	C	A	A	G
V	B	O	M	G	A	N	B	B	V	S	W	P	O	L
G	T	U	O	R	U	L	D	L	E	W	I	H	J	G
S	O	T	T	T	Q	W	S	J	B	M	R	B	K	C

Word List

ACRE
ANIMALS
BALE OF HAY
STEM
STOCK
STORE
SUNLIGHT
TARTS
TOGETHER
TOOL
TOP
TRAILING
TREAT
VINE
VITAMIN A

Thanksgiving Puzzle #72

X	O	W	F	A	R	M	H	O	U	S	E	R	E	S
O	C	C	F	X	G	V	E	L	Z	C	A	I	G	H
Q	F	A	K	E	J	Y	L	F	F	R	Z	R	O	A
H	X	E	L	K	D	G	X	J	I	O	F	R	A	M
O	D	B	R	F	Z	F	G	F	O	P	N	G	D	B
N	R	A	B	T	D	O	Z	X	H	S	L	J	R	I
R	L	B	N	H	I	A	W	B	T	Z	Z	E	A	S
D	P	F	I	G	Y	L	U	D	O	N	F	K	K	O
M	L	U	D	J	X	C	I	O	V	B	A	T	E	N
S	N	G	U	E	K	C	K	Z	N	F	L	B	M	D
G	C	R	A	E	C	C	B	P	E	G	L	T	J	A
N	E	O	T	N	I	T	Q	A	D	R	O	N	K	I
K	A	L	O	H	D	J	N	T	M	E	W	N	C	R
H	J	N	C	P	E	E	O	Y	G	U	T	X	C	Y
U	N	U	K	D	A	M	R	G	Q	Y	D	R	O	G

Word List

BARN	COOP	FALLOW
BISON	CROPS	FARMHOUSE
BUCKET	DAIRY	FERTILIZER
CALF	DRAKE	FOAL
CHICK	EGG	GANDER

Thanksgiving Puzzle #73

J	F	Z	E	E	X	V	M	V	Z	B	M	Y	T	Q
I	N	C	U	B	A	T	O	R	L	V	D	B	U	O
C	X	I	T	X	J	A	C	P	D	R	C	I	U	A
P	N	N	R	O	H	G	N	O	L	Z	U	T	K	E
X	Z	V	K	V	D	L	A	H	M	Y	L	C	M	P
T	D	R	L	W	G	Y	X	E	Q	M	A	U	P	G
X	G	N	K	R	S	W	U	Y	X	R	M	M	O	L
C	N	M	O	K	M	Z	V	T	R	Z	B	A	B	F
L	O	W	U	H	B	E	G	L	E	J	T	T	Z	Z
H	L	P	Y	L	T	X	H	L	D	C	S	O	C	P
A	X	H	J	E	E	O	A	H	P	E	K	W	A	O
H	N	Y	H	J	K	V	Y	O	V	P	W	T	T	Q
F	E	C	B	L	Z	S	M	R	H	C	M	H	S	O
D	A	R	I	N	G	O	A	S	S	O	G	F	X	E
M	X	M	D	X	O	H	O	E	C	O	G	A	O	A

Word List

CATS
GOAT
GROW
HARVEST
HAY
HERD
HOG
HORSE
INCUBATOR
KID
LAMB
LONGHORN
MACHETE
MILK
MULE

Thanksgiving Puzzle #74

L	R	M	D	B	M	U	N	O	A	K	T	F	V	L
E	O	S	D	K	U	P	D	X	W	Q	S	F	Y	Y
V	O	P	C	A	I	B	N	N	Z	H	W	O	A	P
O	R	Y	W	A	G	H	T	W	C	O	U	U	I	O
H	M	F	F	S	R	X	R	N	T	B	Q	L	L	L
S	O	L	U	Z	Y	E	A	P	I	C	K	A	X	E
Z	N	C	A	T	D	R	C	D	M	L	A	J	K	Z
P	O	X	H	N	W	E	L	R	S	H	L	J	T	C
O	I	X	E	N	P	W	A	R	O	H	G	O	R	P
U	L	T	P	I	V	O	R	Z	Z	W	E	O	Y	B
L	L	N	R	A	W	J	A	C	I	M	Y	A	E	F
T	A	Z	D	V	I	F	B	L	Y	U	T	D	R	C
R	T	Y	C	P	D	L	B	S	V	N	R	C	E	S
Y	S	W	N	H	V	X	I	U	L	Z	E	E	E	H
B	I	P	L	A	N	T	T	R	A	C	T	O	R	Y

Word List

PAIL
PICKAXE
PLANT
POULTRY
RABBIT

RANCH
RIPE
RYE
SCARECROW
SHEARS

SHOVEL
SOIL
STALLION
TEND
TRACTOR

Thanksgiving Puzzle #75

P	M	N	L	P	N	E	L	S	Q	L	H	P	X	O
Z	M	S	L	J	V	O	Q	S	I	J	D	A	P	F
R	C	H	I	D	W	E	E	D	E	R	X	S	U	V
Y	A	E	M	U	H	V	W	C	C	C	H	T	P	E
S	X	E	D	V	Y	L	U	E	E	D	T	U	Y	G
D	P	P	N	F	O	D	L	H	Z	A	Q	R	U	E
I	L	A	I	W	O	K	T	X	R	S	W	E	E	T
P	O	B	W	R	C	Y	R	A	W	E	B	L	D	A
M	W	G	P	I	C	F	K	Y	X	O	D	A	Q	B
K	R	R	S	S	N	R	U	I	N	N	G	D	A	L
H	L	E	J	L	S	K	O	D	M	T	R	N	U	E
Z	J	Q	A	M	F	G	R	O	G	A	A	V	P	G
N	Q	R	V	P	M	A	F	A	S	U	P	C	E	G
O	I	P	E	Q	G	T	I	B	K	T	U	I	B	D
K	D	G	B	T	U	R	K	E	Y	E	I	Q	G	R

Word List

PASTURE
PIG
PLOW
PRODUCE
RAKE
REAP
ROOST
SCYTHE
SHEEP
SICKLE
TURKEY
UDDER
VEGETABLE
WEEDER
WINDMILL

Thanksgiving Puzzle #76

H	Z	C	G	C	G	W	A	F	O	O	D	R	U	X
N	K	G	O	S	T	E	E	R	R	V	F	O	P	K
D	A	A	O	O	P	V	R	F	Q	V	D	D	M	D
L	R	T	S	X	R	E	R	E	A	N	V	G	U	G
A	W	E	E	M	H	C	V	Q	G	B	A	L	T	Y
D	Y	R	H	M	Q	A	H	I	H	V	L	G	Z	D
G	J	U	U	G	P	M	R	A	H	H	T	E	M	E
V	W	O	S	C	U	O	O	V	R	J	O	D	R	U
L	W	I	M	D	M	O	Q	W	E	D	Z	A	Y	X
V	P	C	Q	L	L	L	R	V	E	S	M	R	H	X
J	K	Q	I	Q	L	E	N	T	J	R	T	E	H	P
Q	D	Z	E	I	U	F	I	O	R	P	V	E	Q	L
N	A	I	T	M	F	R	A	F	S	N	L	C	R	A
B	U	L	K	G	P	T	X	M	J	W	T	F	U	N
F	R	M	I	L	K	K	C	A	T	S	Y	A	H	D

Word List

FIELD
FOOD
GATE
GOOSE
HARVESTER
HAYSTACK
HIVE
LAND
MARE
MOWER
ORCHARD
SOW
STEER
TILL
TROUGH

Thanksgiving Puzzle #77

L	H	Q	S	Y	M	I	M	L	B	M	T	G	H	O
L	X	W	O	H	S	R	A	N	L	I	G	S	H	E
I	K	I	J	U	A	L	C	W	I	N	N	G	J	J
L	X	K	Q	F	J	N	C	H	G	S	N	Z	J	D
F	M	K	D	E	W	E	R	C	I	E	B	F	F	U
H	E	O	S	Z	D	T	I	O	M	C	Z	X	E	C
K	X	E	H	O	N	E	Y	L	C	T	K	B	Y	K
S	B	M	D	M	K	Q	Q	P	V	I	Q	E	S	P
P	C	U	S	O	Y	C	E	N	S	C	A	G	N	D
J	B	P	F	Z	C	G	A	D	K	I	P	C	O	U
V	L	N	G	F	A	A	V	M	V	D	Z	A	F	D
C	J	G	K	E	A	C	T	C	C	E	B	Y	I	J
B	P	M	R	W	I	L	B	R	B	X	H	K	E	D
A	W	C	M	Z	X	G	O	F	O	O	D	O	L	V
Q	A	Z	B	T	Q	F	M	K	C	R	O	W	D	X

Word List

ACREAGE
BUFFALO
CAT
CHICKEN
CORN
CROW
DOG
DUCK
EWE
FARM
FEED
FIELD
FOOD
HONEY
INSECTICIDE

Thanksgiving Puzzle #78

C	T	E	B	A	Q	M	J	G	E	Y	Z	W	R	J
J	E	C	Z	B	W	W	V	G	T	L	O	O	T	L
C	Q	E	Q	E	F	S	B	D	H	X	T	I	K	L
O	A	R	B	S	U	D	E	J	X	A	M	T	Y	X
W	X	U	Z	F	H	E	J	W	V	A	V	J	A	W
E	R	T	J	I	R	B	F	I	S	Z	U	F	V	C
A	B	L	O	B	B	A	T	B	S	L	W	Z	E	A
Q	E	U	D	E	Q	L	E	A	Y	N	W	N	C	Q
C	E	C	E	U	U	E	H	N	U	Z	I	S	S	D
K	H	I	Y	C	C	R	L	E	F	B	Y	H	C	J
R	I	R	E	V	H	K	B	Y	M	A	U	H	L	Y
D	V	G	K	L	J	I	L	O	E	I	R	I	F	G
A	E	A	L	J	Q	N	C	I	A	Z	K	M	B	H
D	S	U	Y	E	K	N	O	D	N	R	K	F	E	P
Y	B	E	A	H	D	Q	D	Q	H	G	R	T	U	R

Word List

AGRICULTURE
BALER
BANEY
BEE
BEEHIVE
BOAR
BREED
BULL
CATTLE
COMBINE
COW
CULTIVATOR
DONKEY
DUCKLING
FARMER

Thanksgiving Puzzle #79

X	X	O	U	F	P	P	Q	L	S	D	X	V	L	C
O	F	T	F	L	O	C	K	X	B	N	G	O	X	N
L	D	J	N	O	I	F	Q	K	I	Q	I	I	L	F
O	T	M	G	F	A	R	P	H	F	M	V	A	W	D
W	I	F	V	K	E	V	R	I	D	Y	Y	X	R	U
S	E	E	O	H	Y	N	K	I	I	C	I	W	B	G
I	C	Y	B	M	C	B	C	P	G	A	Y	T	E	Y
T	A	M	A	L	L	C	O	E	S	A	I	L	R	M
J	E	R	S	E	Y	C	O	W	M	U	T	E	L	A
F	J	E	I	D	R	I	X	L	R	U	H	I	X	R
E	K	G	T	O	G	X	R	F	V	C	L	L	O	H
S	H	O	N	E	Y	B	E	E	T	K	F	C	H	N
E	U	E	U	O	I	W	F	A	Y	N	A	E	H	Q
E	S	P	T	F	D	O	H	I	E	E	Z	V	W	H
G	M	E	A	D	O	W	O	H	R	A	J	J	W	V

Word List

FENCE
FLOCK
FRUIT
GEESE
GRAINS
HATCHERY
HEN
HOE
HONEYBEE
IRRIGATION
JERSEY COW
LLAMA
MEADOW
MULCH
OX

Thanksgiving Puzzle #80

V	R	I	T	I	L	L	E	R	S	N	R	S	I	G
W	E	M	M	Q	T	E	P	T	N	E	N	D	P	K
P	N	X	Z	E	V	C	A	B	T	D	R	T	I	I
V	B	Y	L	L	P	B	U	S	B	E	W	C	C	X
N	W	L	V	J	L	E	O	O	H	D	V	J	K	P
H	U	N	T	E	N	O	M	P	W	E	E	D	S	O
P	I	M	L	I	R	B	E	H	F	X	L	P	S	H
S	C	D	W	B	U	H	W	U	L	P	T	G	E	H
H	I	S	Q	S	S	F	L	Y	O	E	I	U	E	J
P	M	L	Z	I	E	M	V	U	L	K	W	R	D	M
O	E	S	O	J	T	E	L	G	Z	J	V	O	S	U
N	N	H	K	T	R	T	I	D	K	A	B	L	R	H
M	U	R	K	H	I	P	L	W	B	V	D	I	E	T
X	G	X	A	E	C	E	P	N	T	W	R	J	V	S
A	R	V	H	M	E	L	V	Z	P	R	Q	D	B	I

Word List

PICK
PIGLET
POULT
PULLET
RAM
RICE
ROOSTER
SEEDS
SHEPHERD
SILO
STABLE
SWINE
TILLER
TROWEL
WEEDS

Thanksgiving Puzzle #1

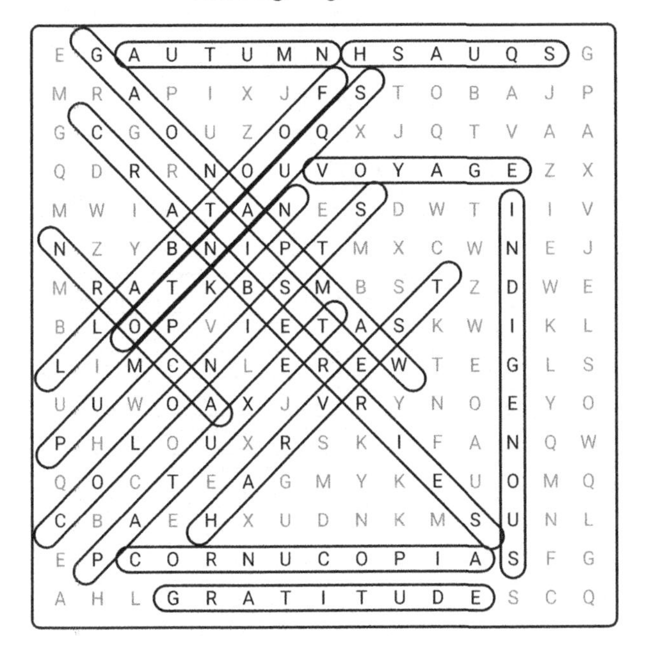

Thanksgiving Puzzle #2

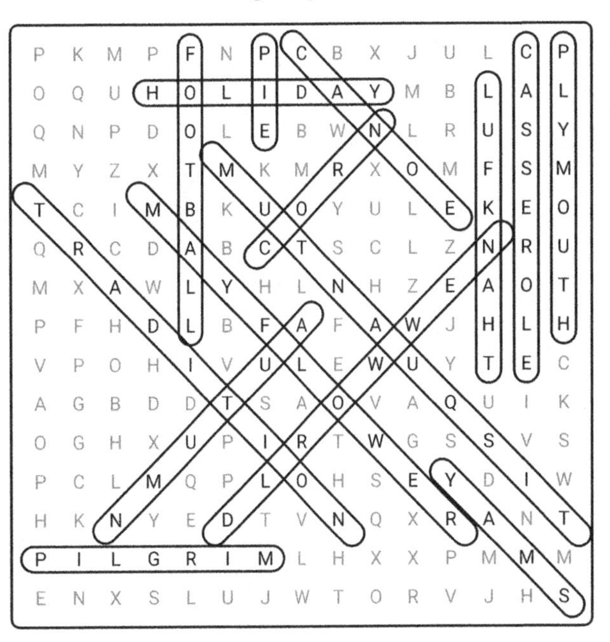

Thanksgiving Puzzle #3

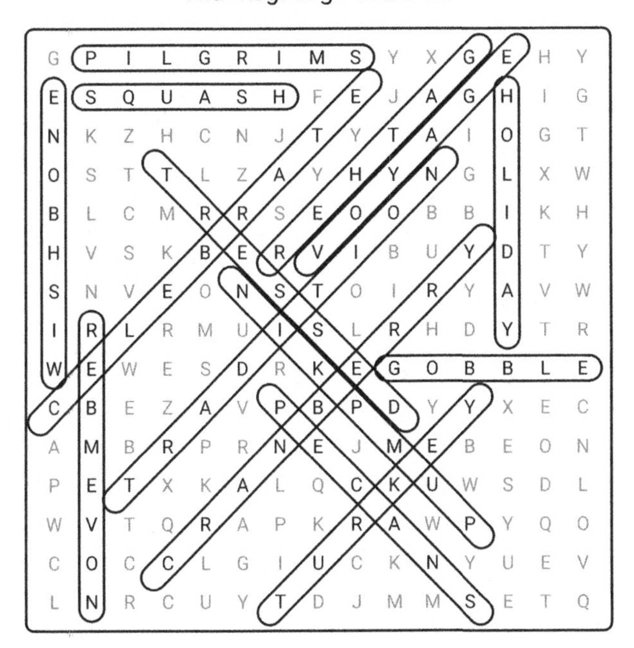

Thanksgiving Puzzle #4

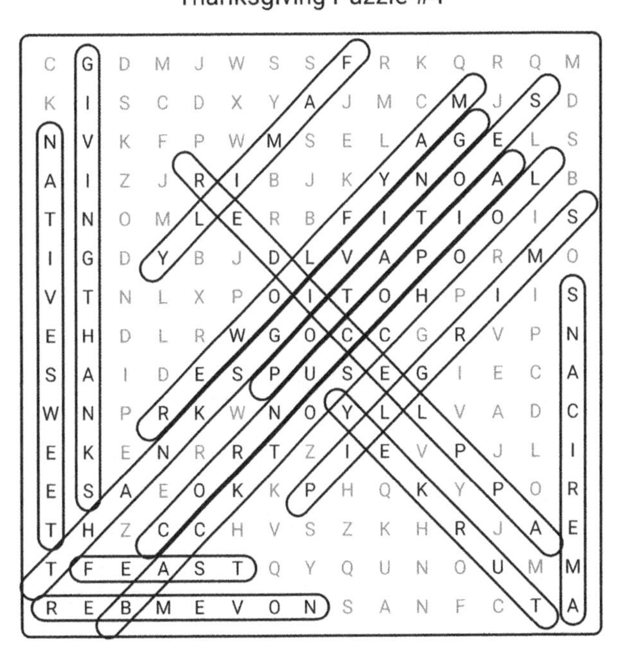

Thanksgiving Puzzle #5

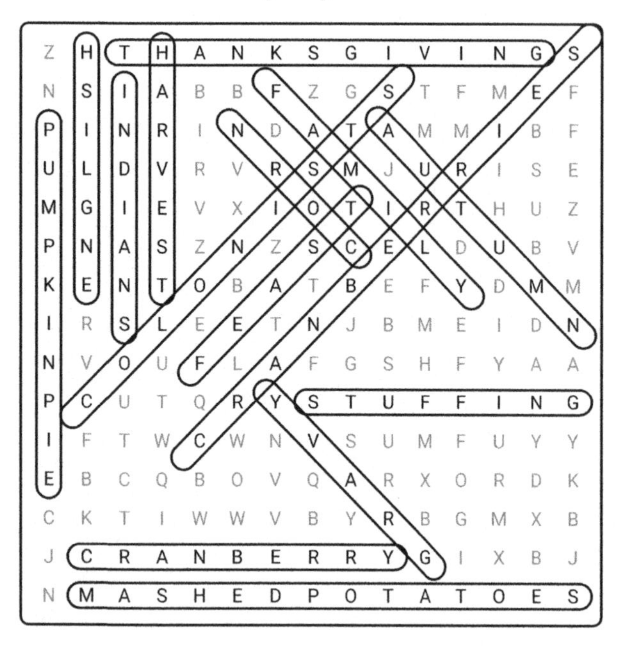

Thanksgiving Puzzle #6

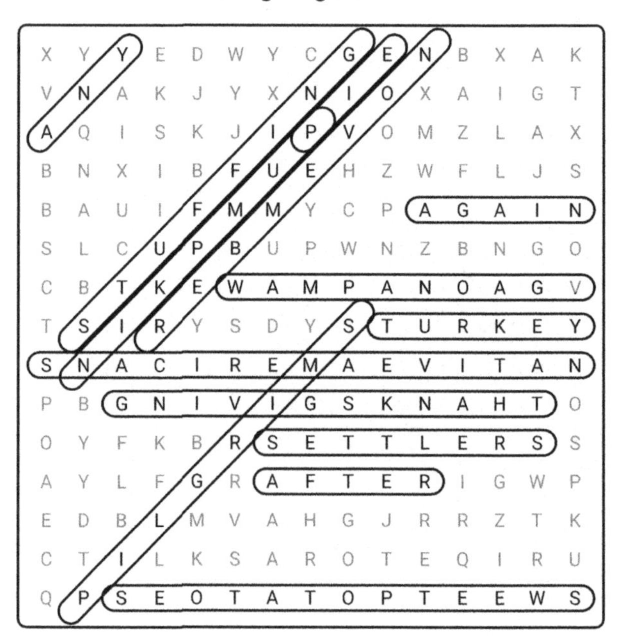

Thanksgiving Puzzle #7

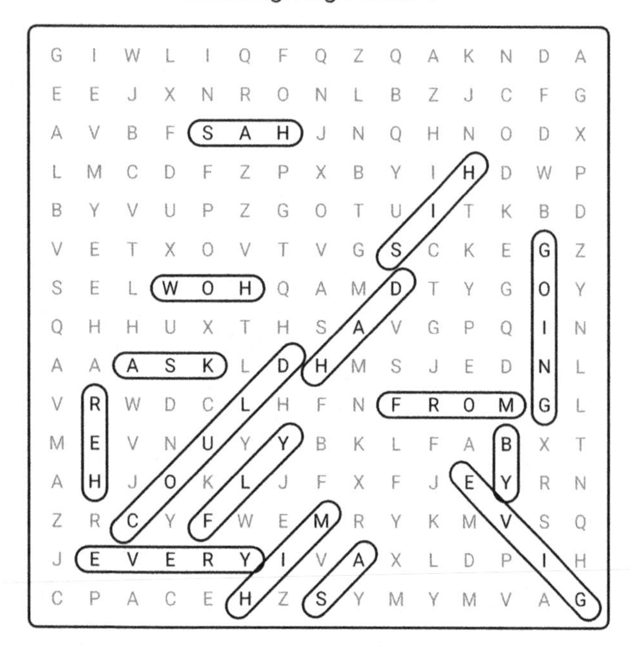

Thanksgiving Puzzle #8

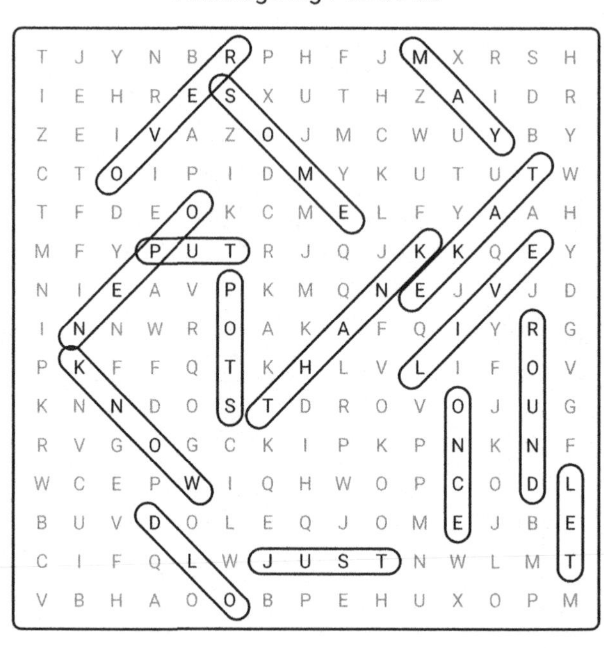

Thanksgiving Puzzle #9

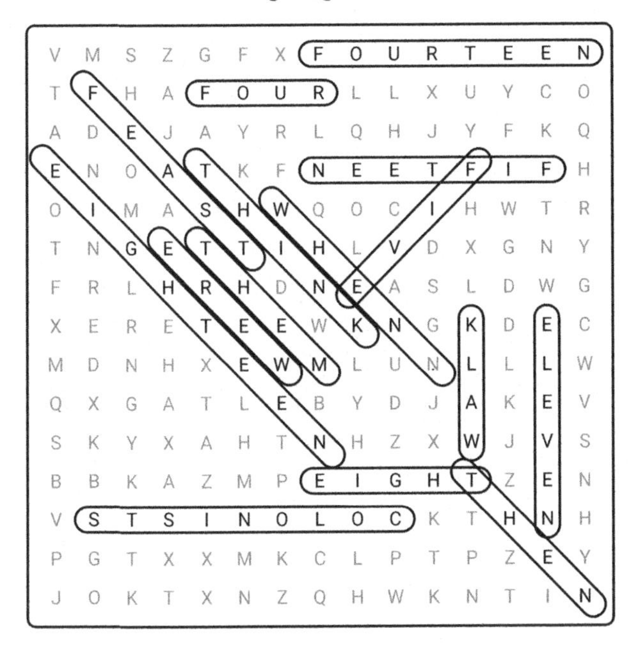

Thanksgiving Puzzle #10

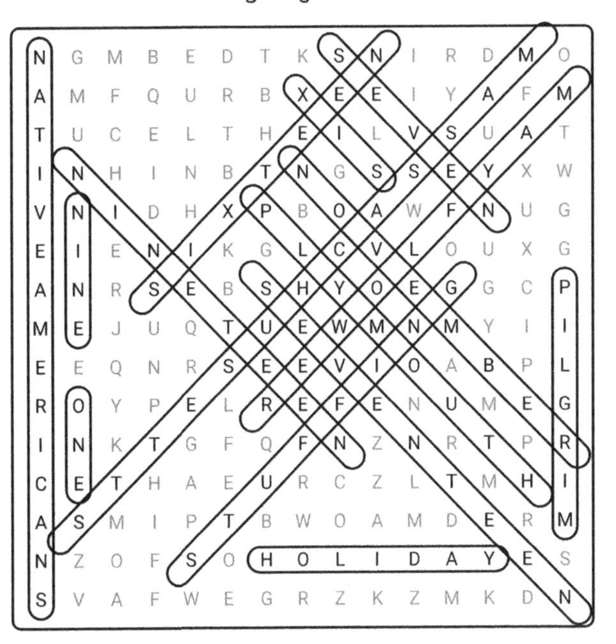

Thanksgiving Puzzle #11

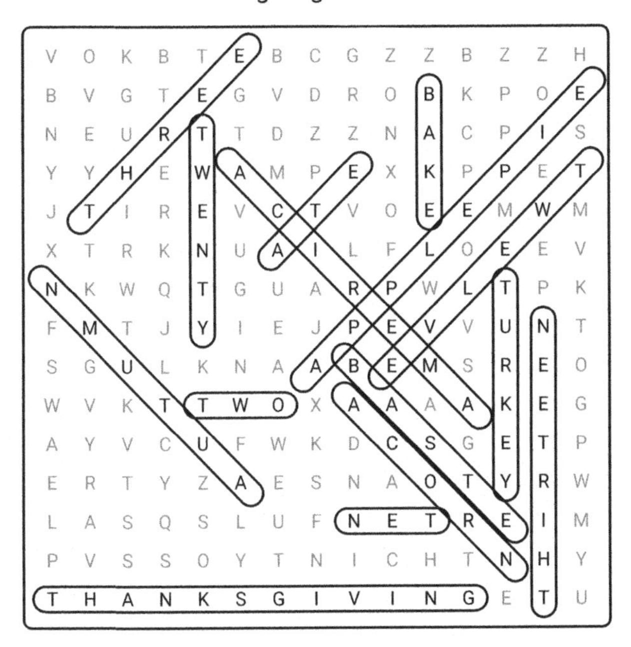

Thanksgiving Puzzle #12

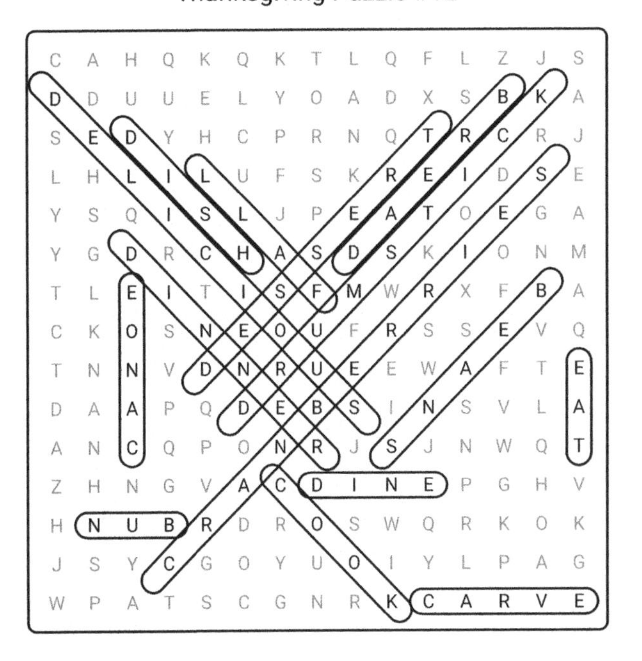

Thanksgiving Puzzle #13

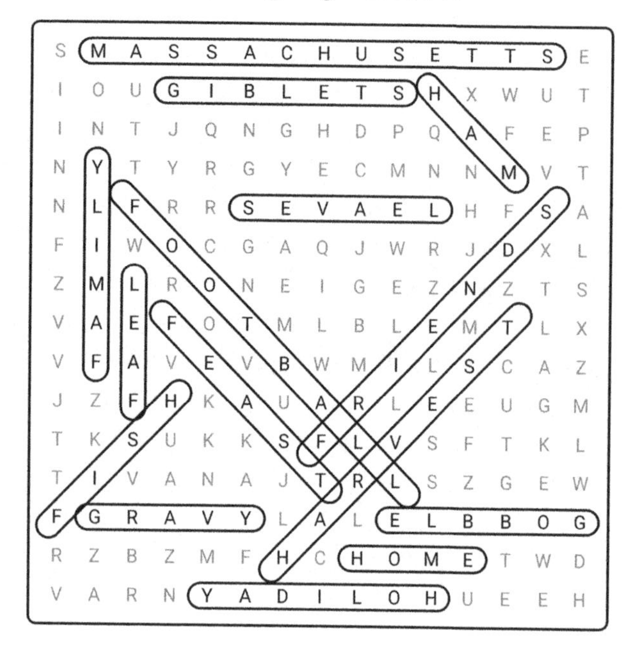

Thanksgiving Puzzle #14

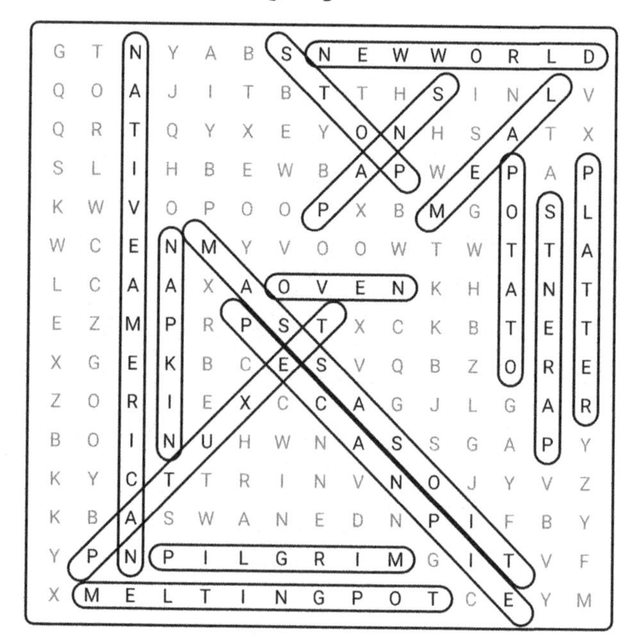

Thanksgiving Puzzle #15

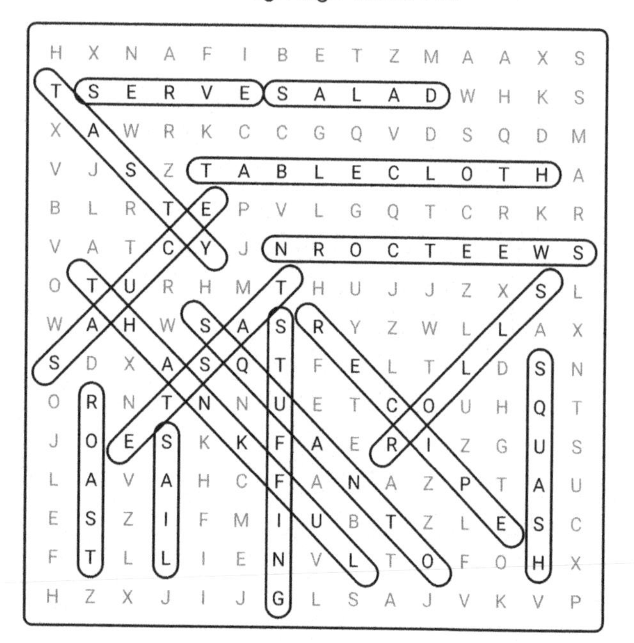

Thanksgiving Puzzle #16

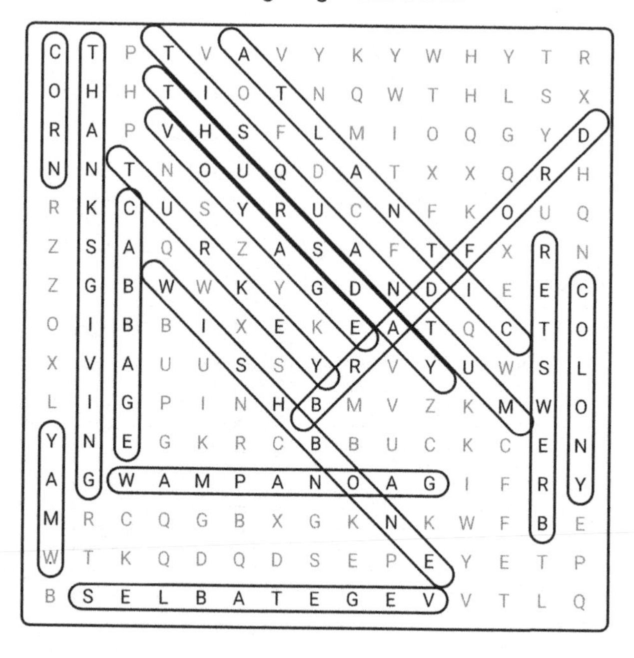

Thanksgiving Puzzle #17

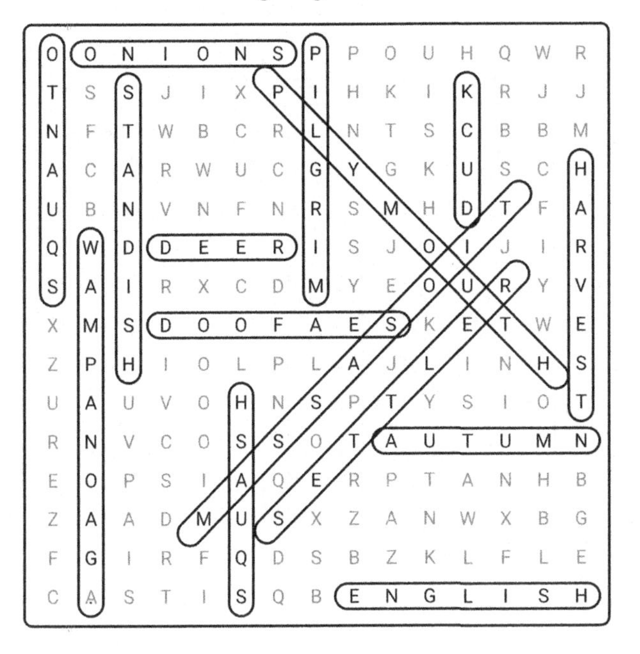

Thanksgiving Puzzle #18

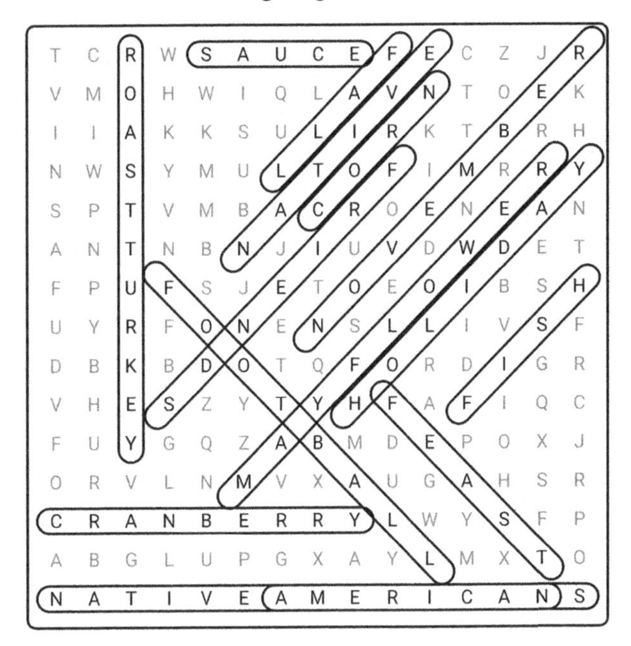

Thanksgiving Puzzle #19

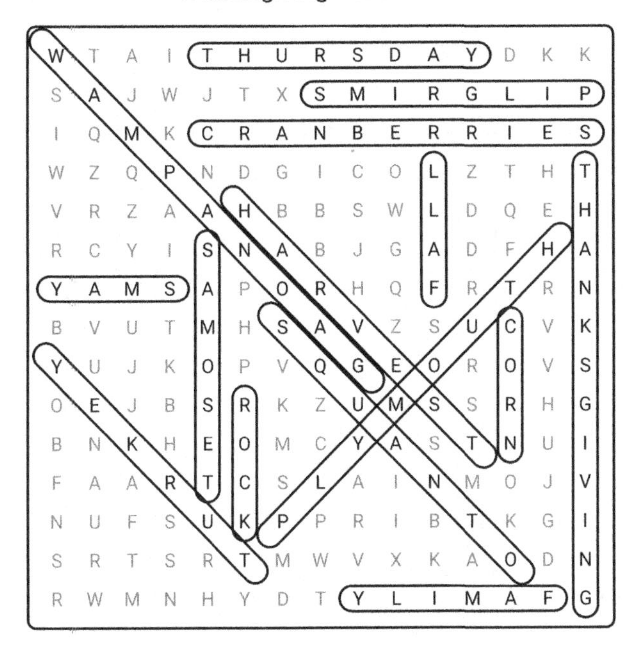

Thanksgiving Puzzle #20

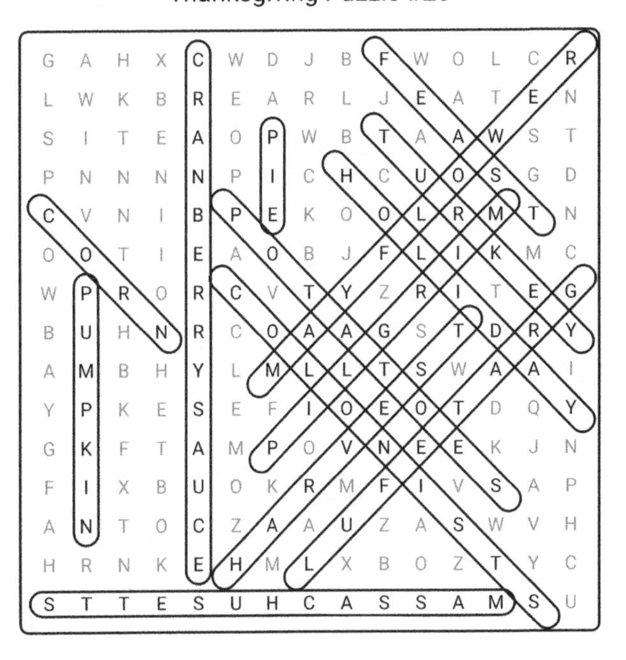

Thanksgiving Puzzle #21

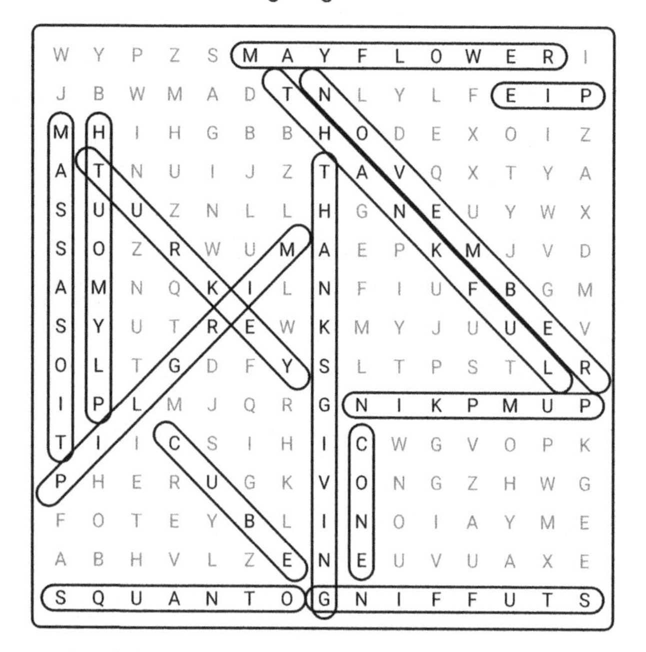

Thanksgiving Puzzle #22

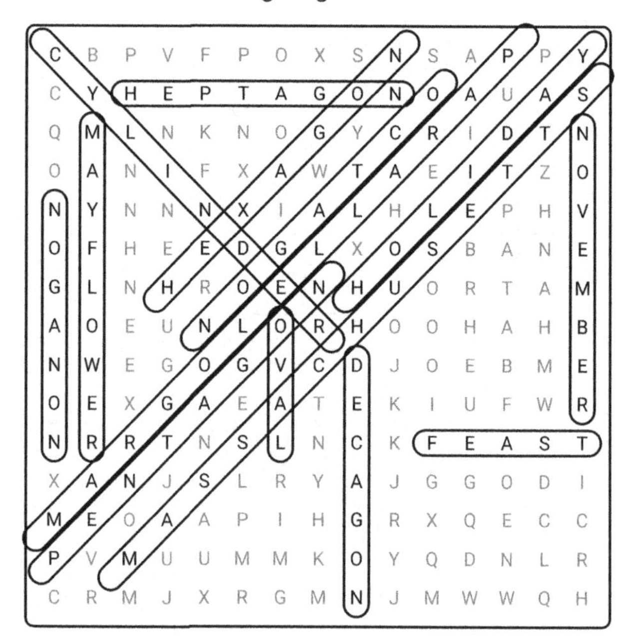

Thanksgiving Puzzle #23

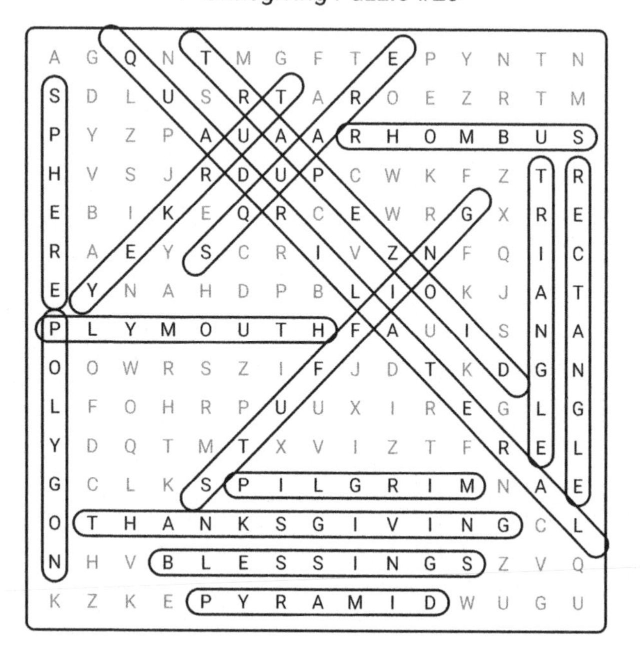

Thanksgiving Puzzle #24

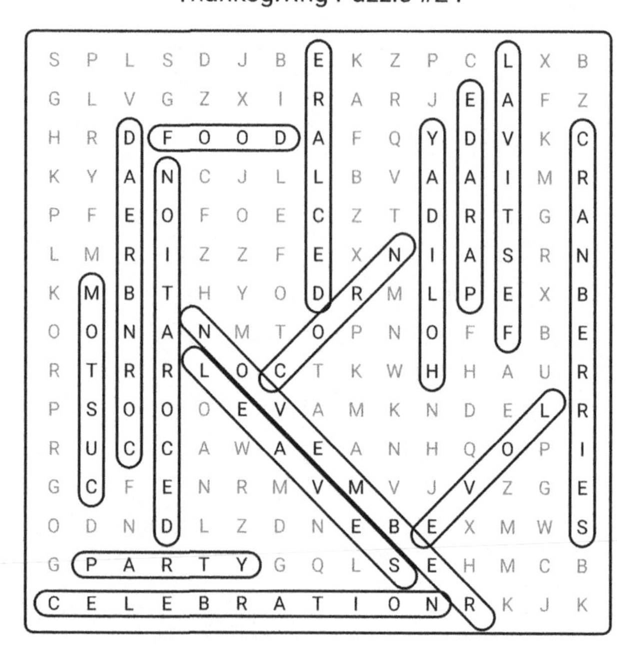

Thanksgiving Puzzle #25

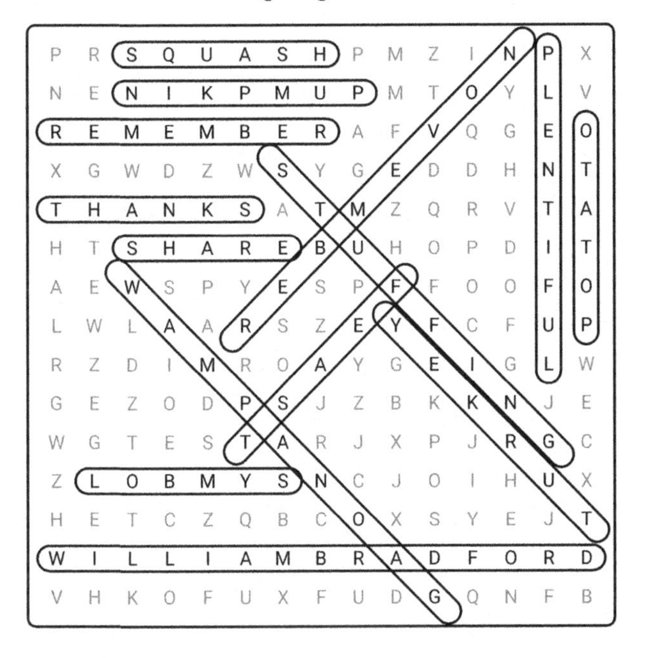

Thanksgiving Puzzle #26

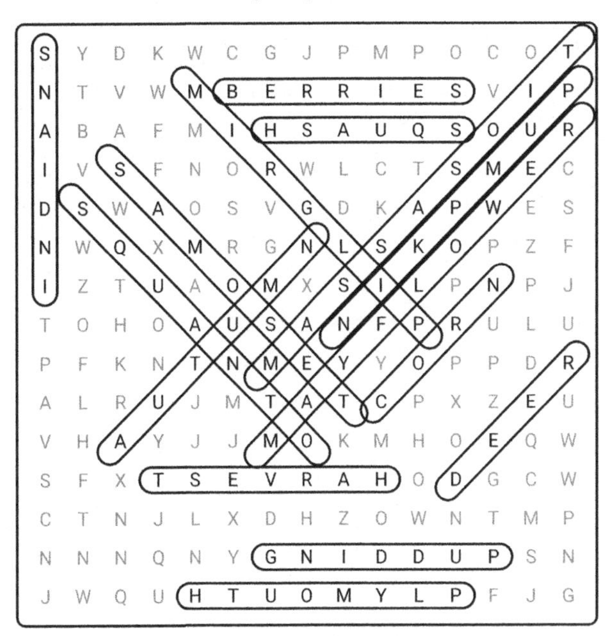

Thanksgiving Puzzle #27

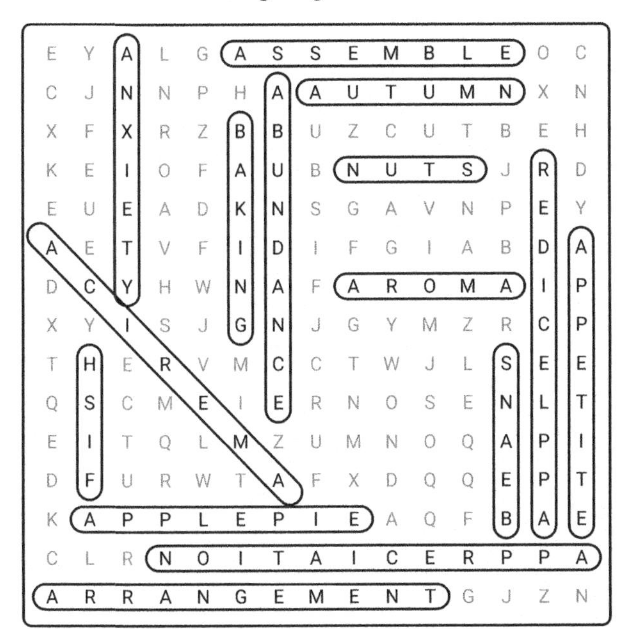

Thanksgiving Puzzle #28

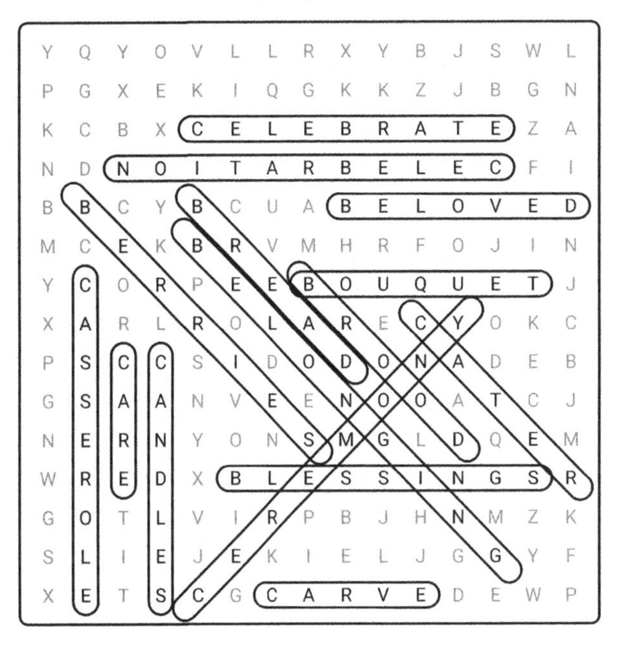

Thanksgiving Puzzle #29

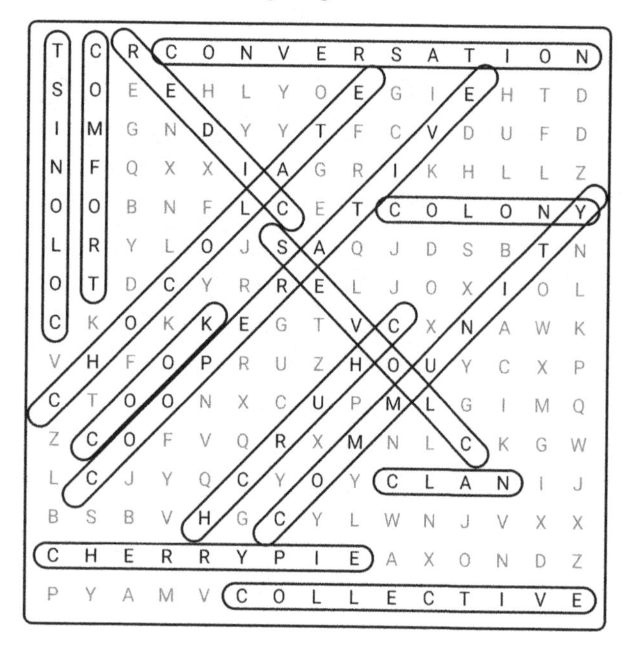

Thanksgiving Puzzle #30

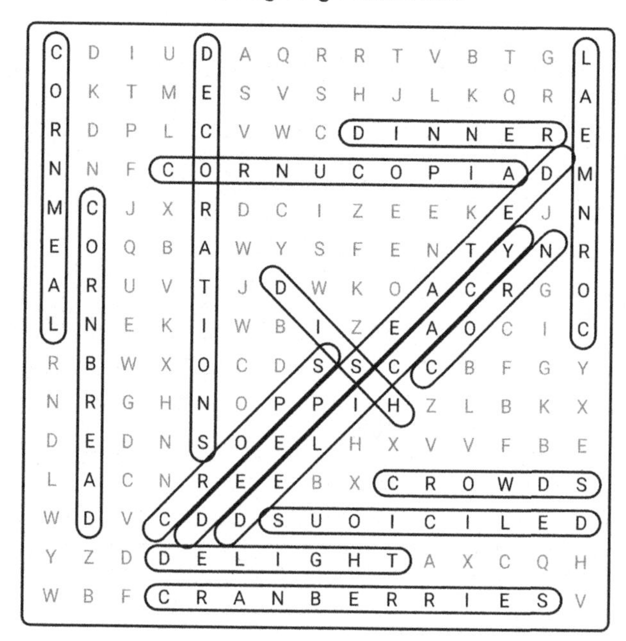

Thanksgiving Puzzle #31

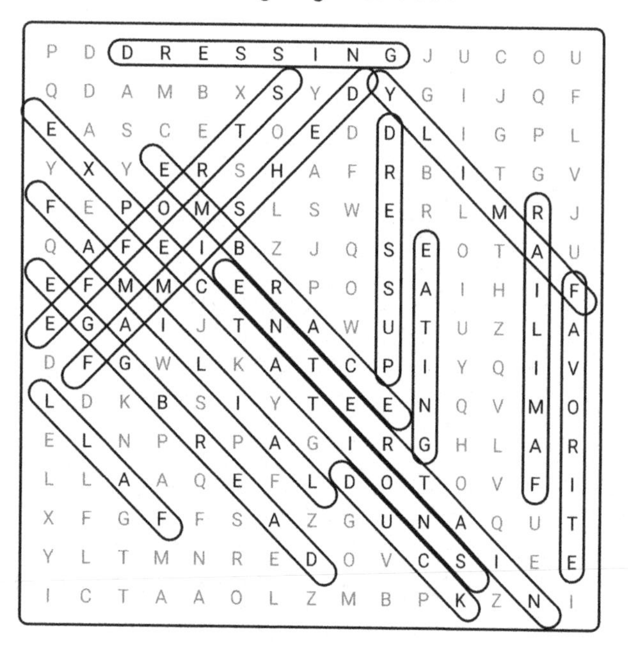

Thanksgiving Puzzle #32

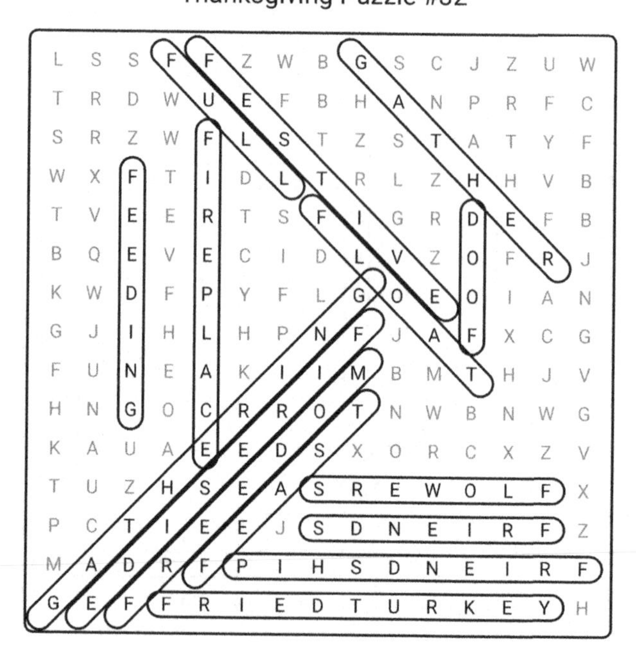

Thanksgiving Puzzle #33

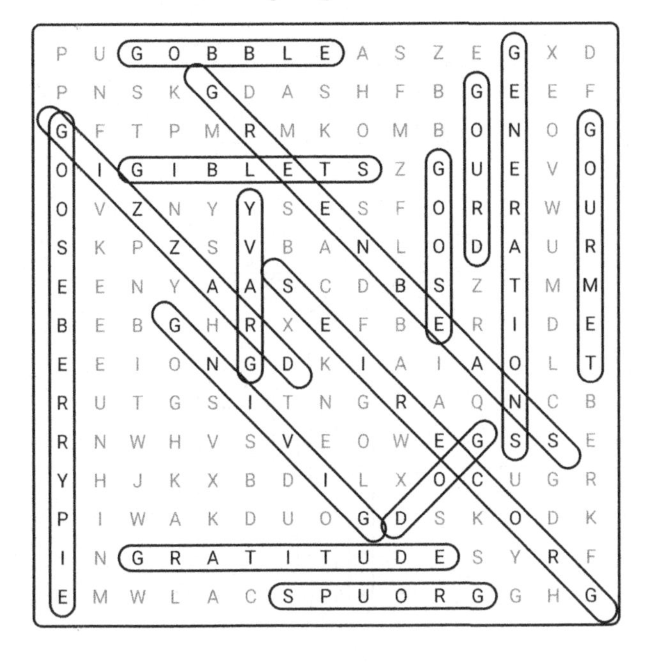

Thanksgiving Puzzle #34

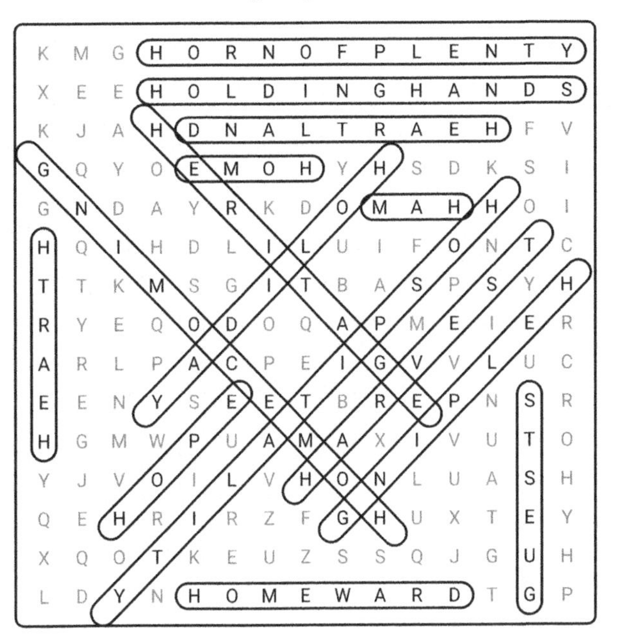

Thanksgiving Puzzle #35

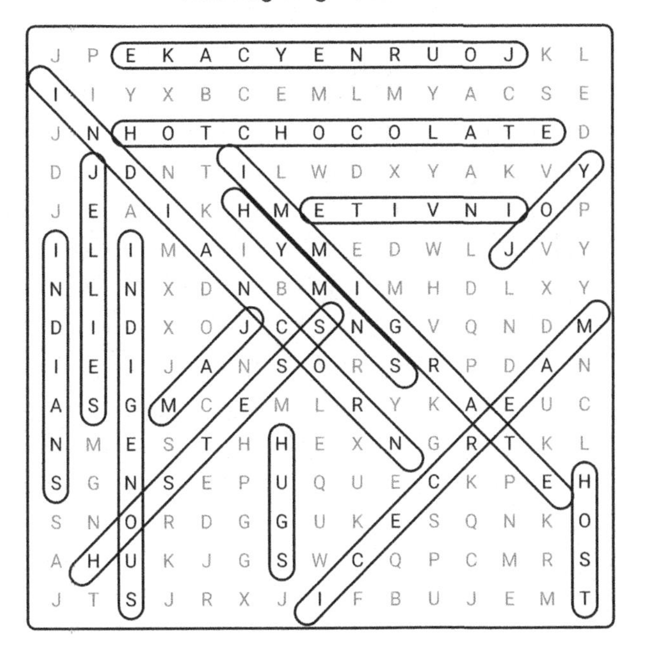

Thanksgiving Puzzle #36

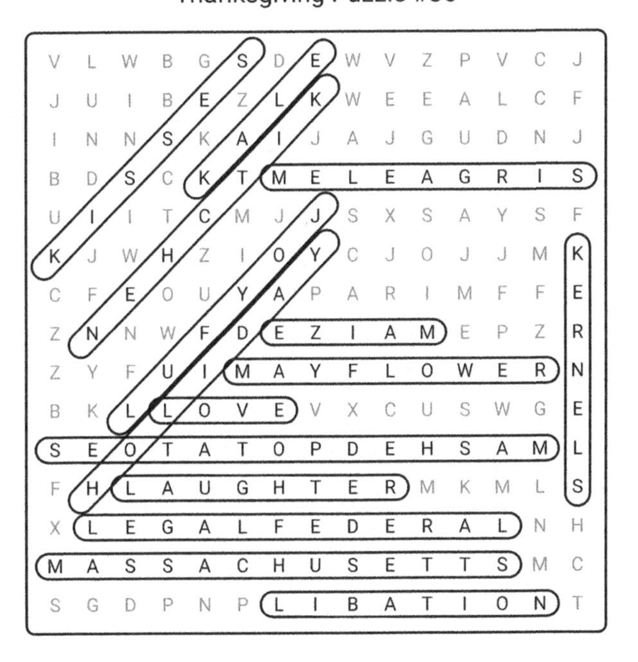

Thanksgiving Puzzle #37

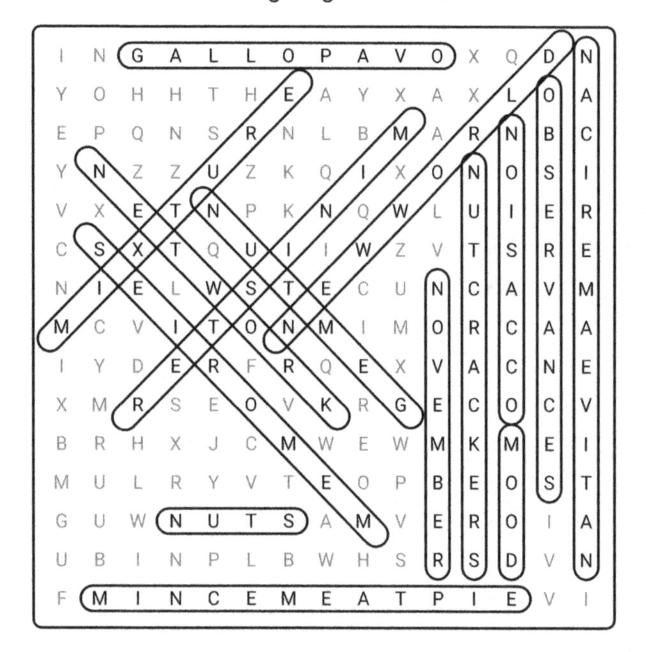

Thanksgiving Puzzle #38

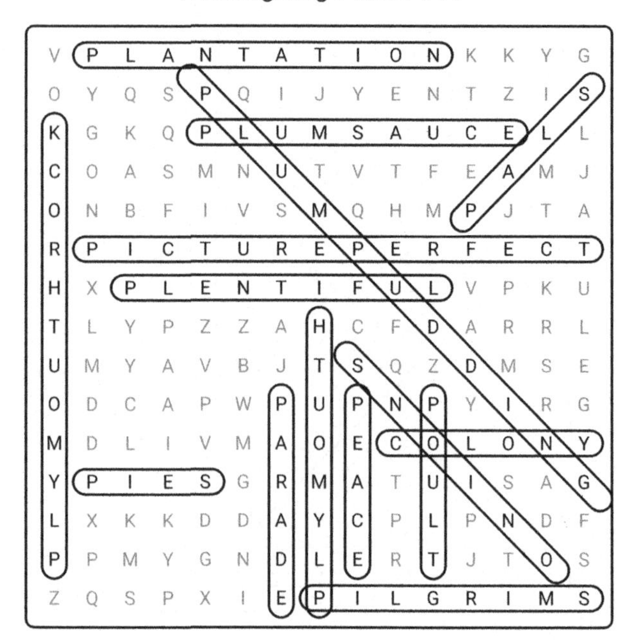

Thanksgiving Puzzle #39

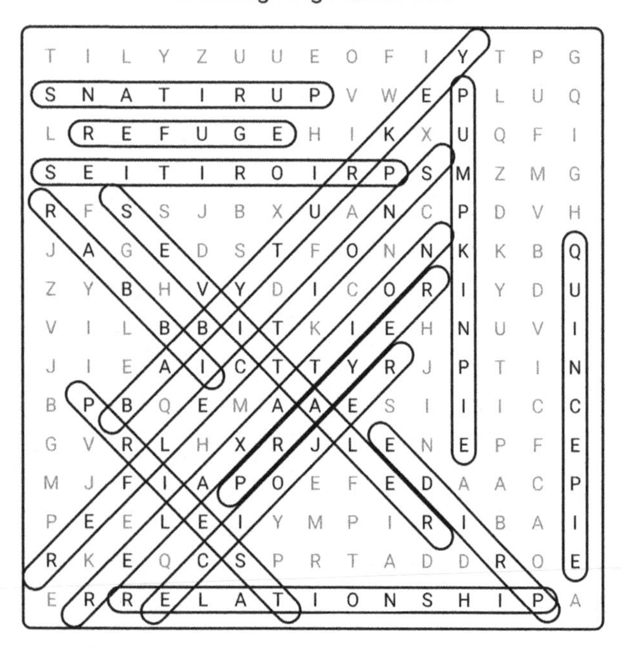

Thanksgiving Puzzle #40

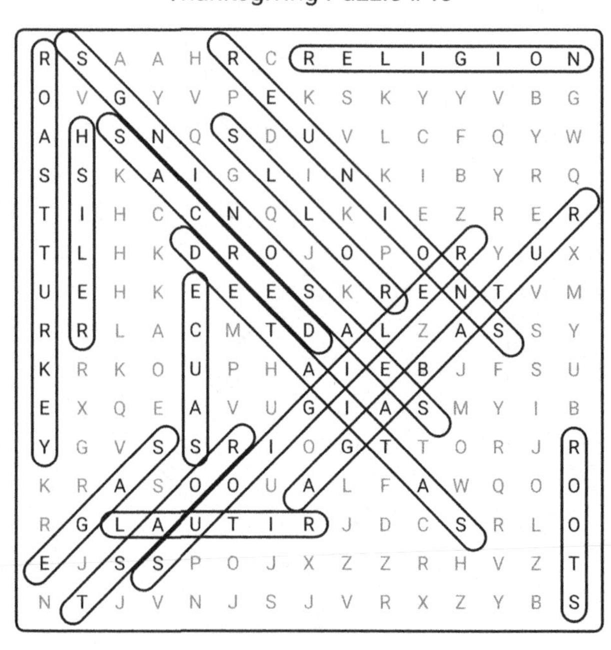

Thanksgiving Puzzle #41

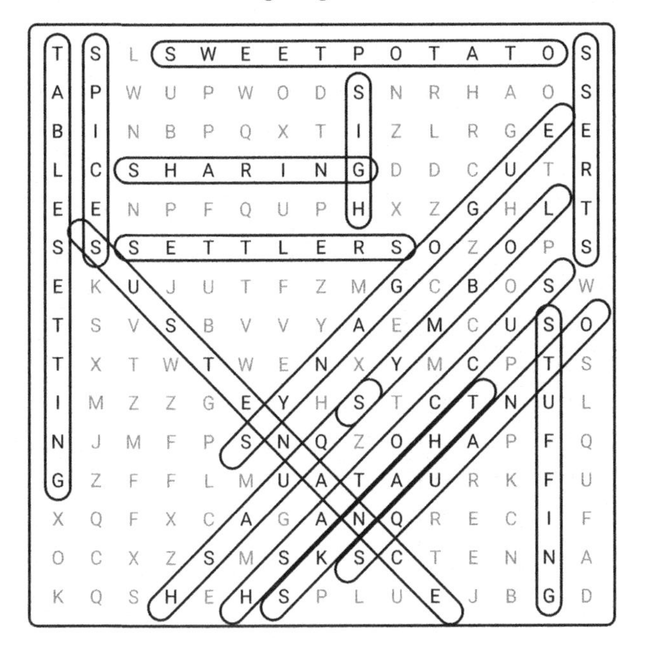

Thanksgiving Puzzle #42

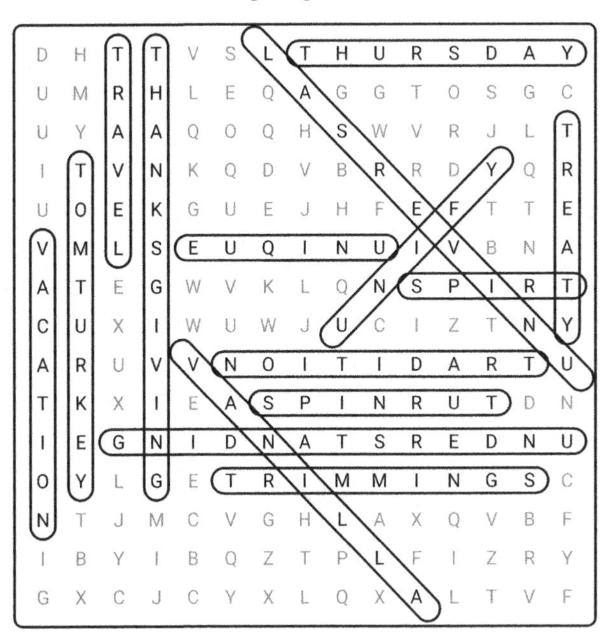

Thanksgiving Puzzle #43

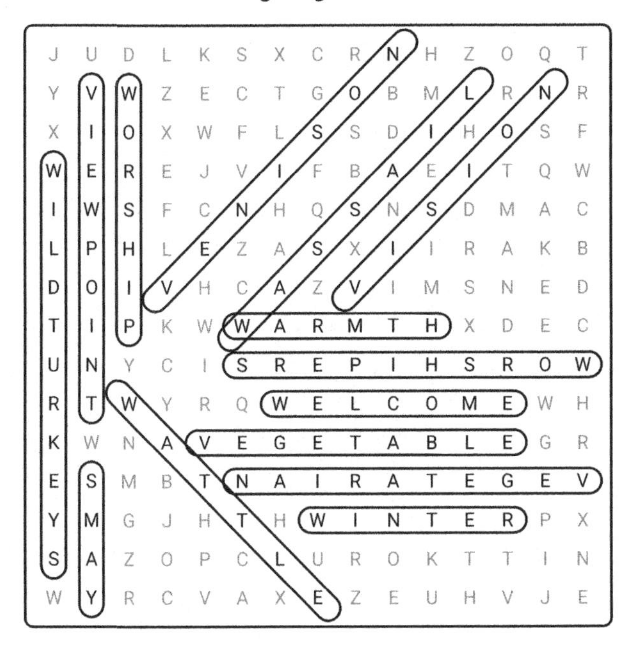

Thanksgiving Puzzle #44

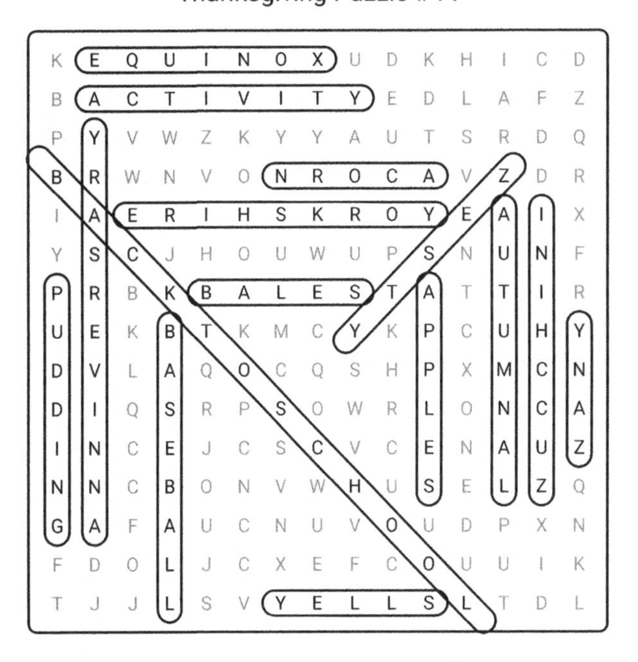

Thanksgiving Puzzle #45

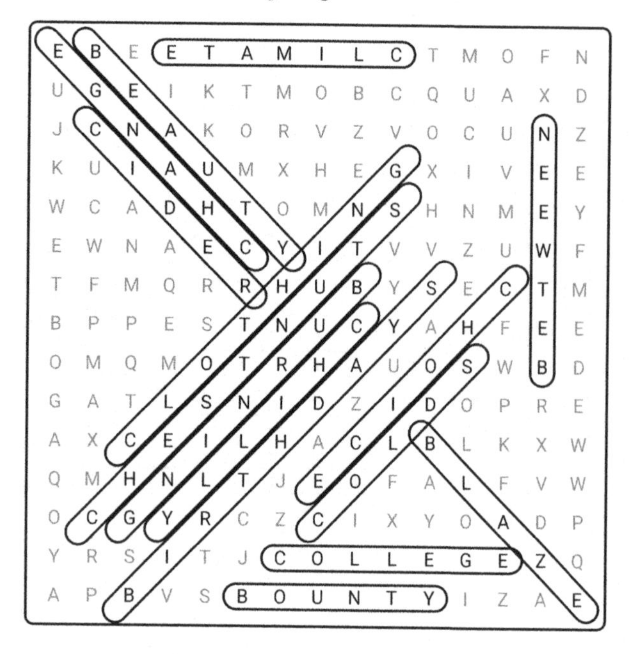

Thanksgiving Puzzle #46

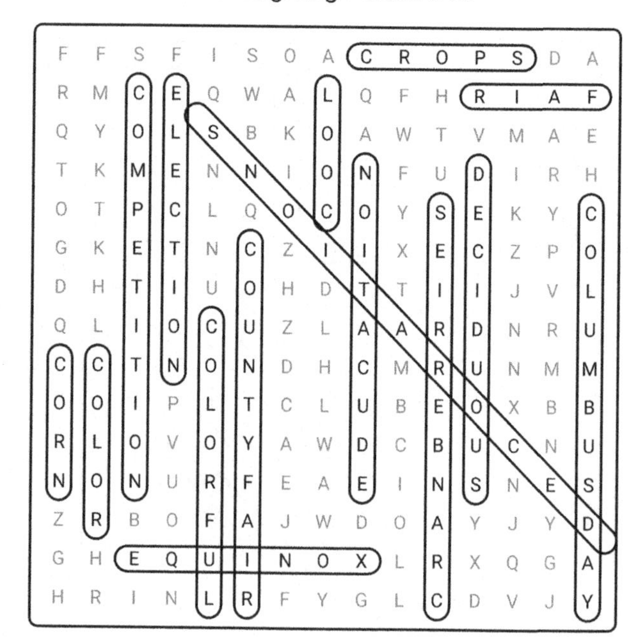

Thanksgiving Puzzle #47

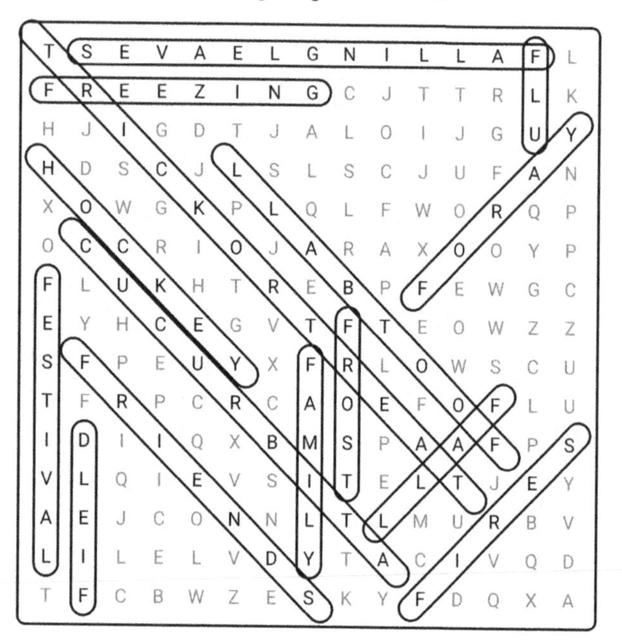

Thanksgiving Puzzle #48

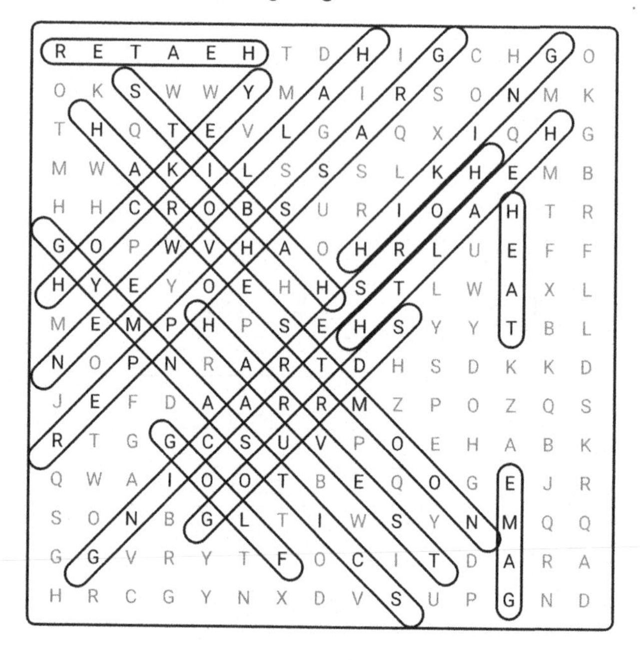

Thanksgiving Puzzle #49

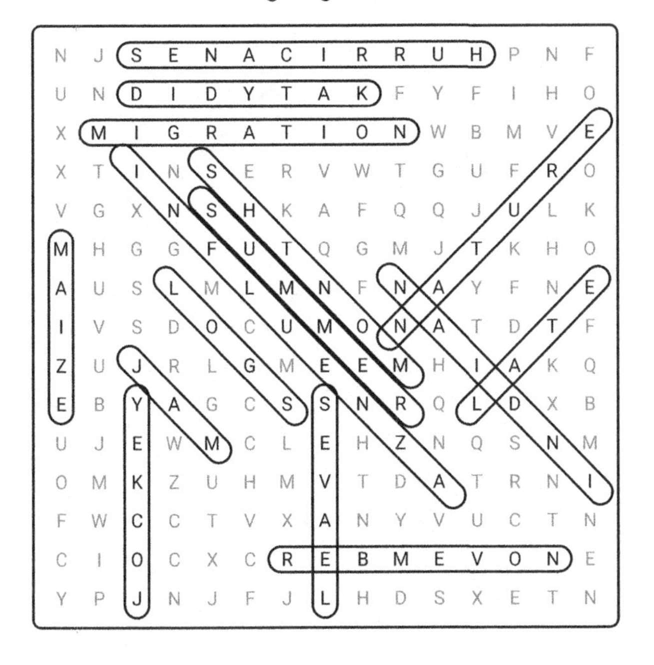

Thanksgiving Puzzle #50

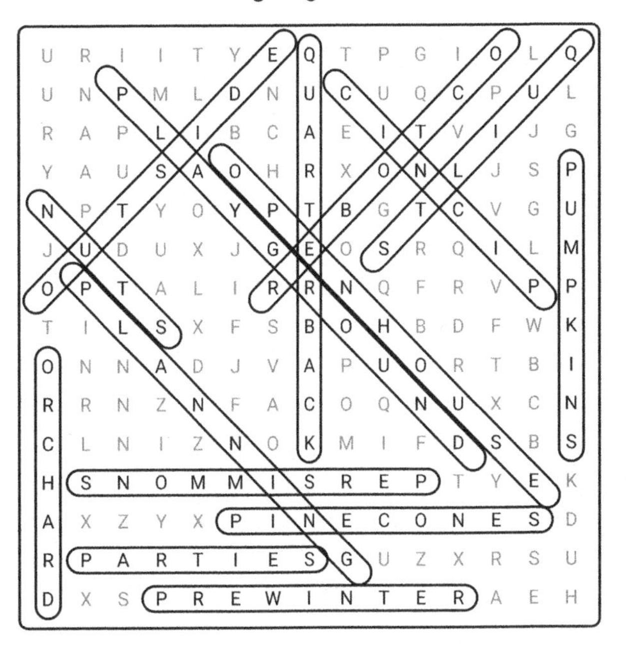

Thanksgiving Puzzle #51

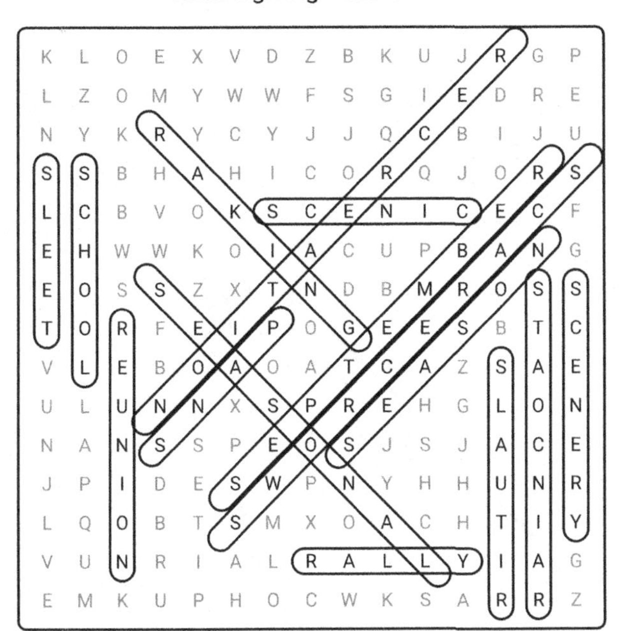

Thanksgiving Puzzle #52

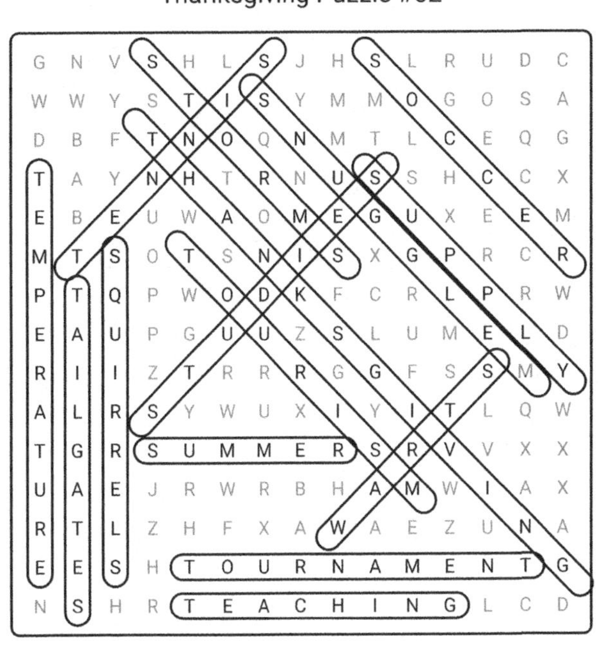

Thanksgiving Puzzle #53

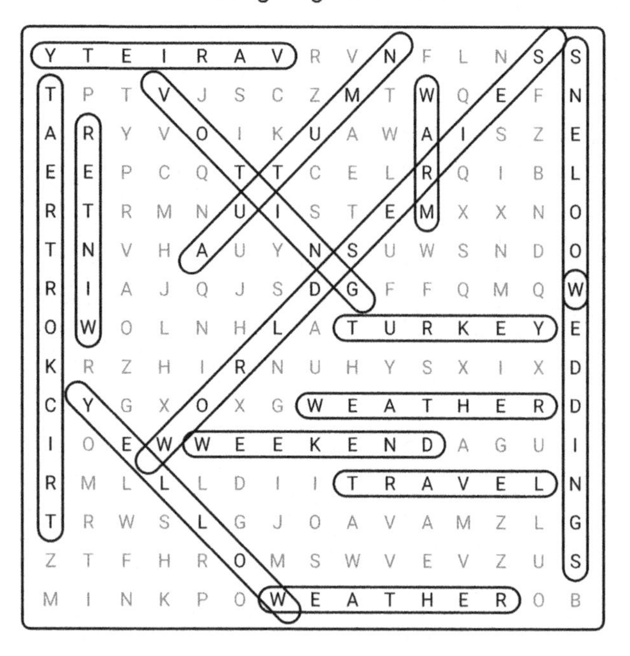

Thanksgiving Puzzle #54

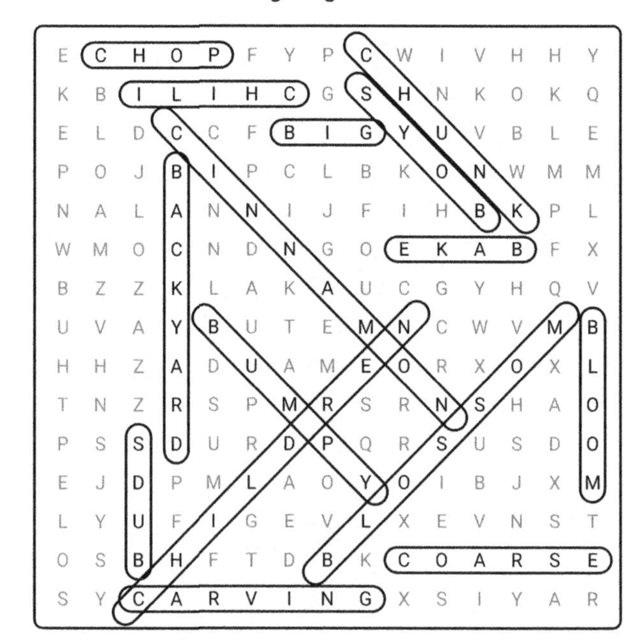

Thanksgiving Puzzle #55

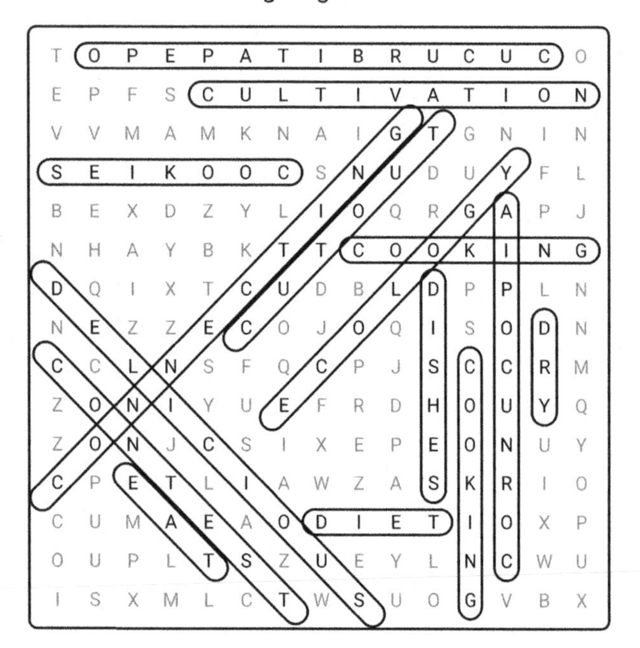

Thanksgiving Puzzle #56

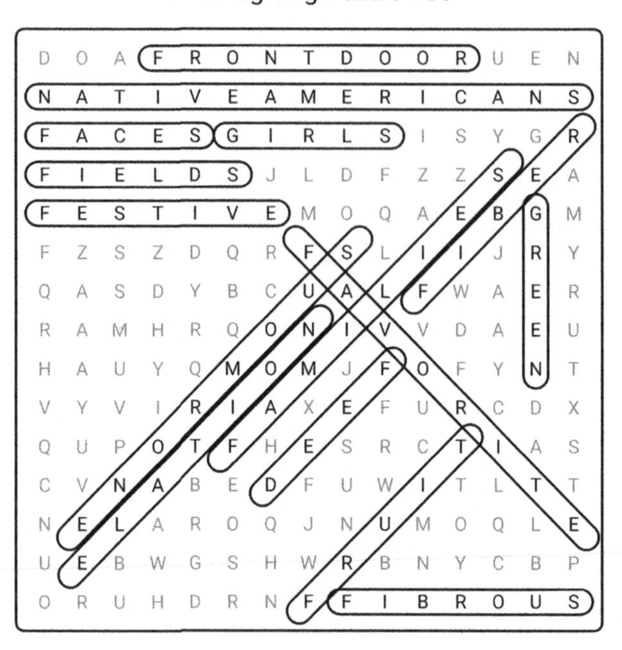

Thanksgiving Puzzle #57

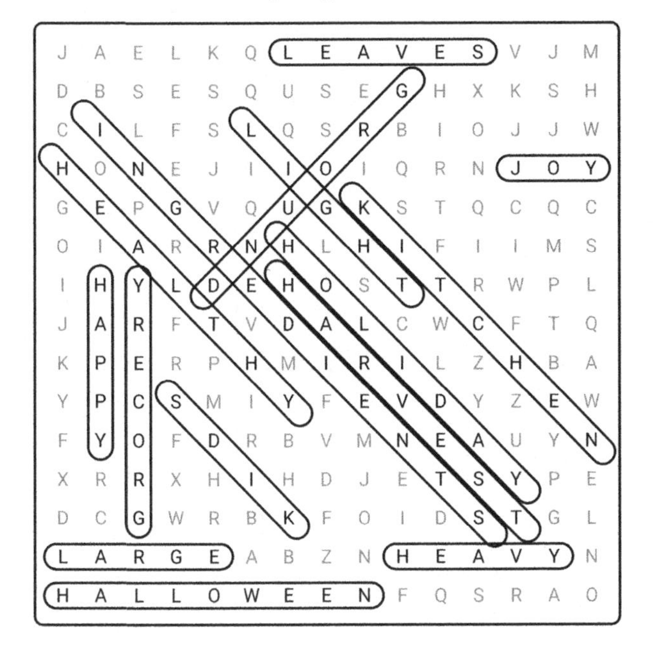

Thanksgiving Puzzle #58

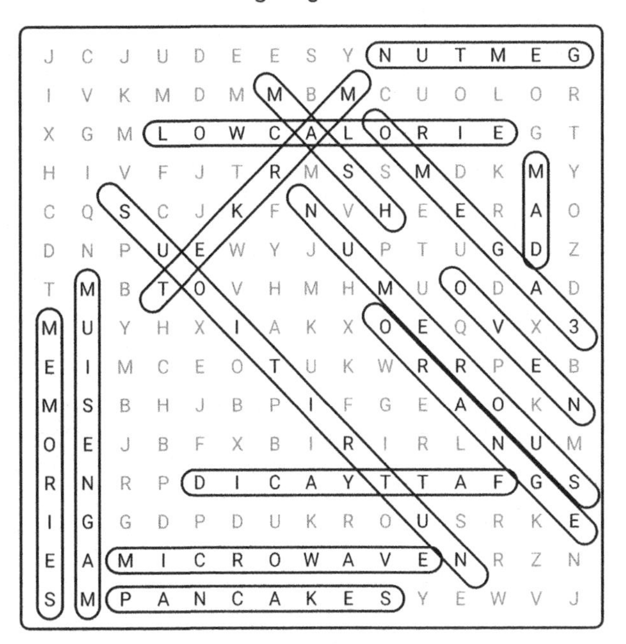

Thanksgiving Puzzle #59

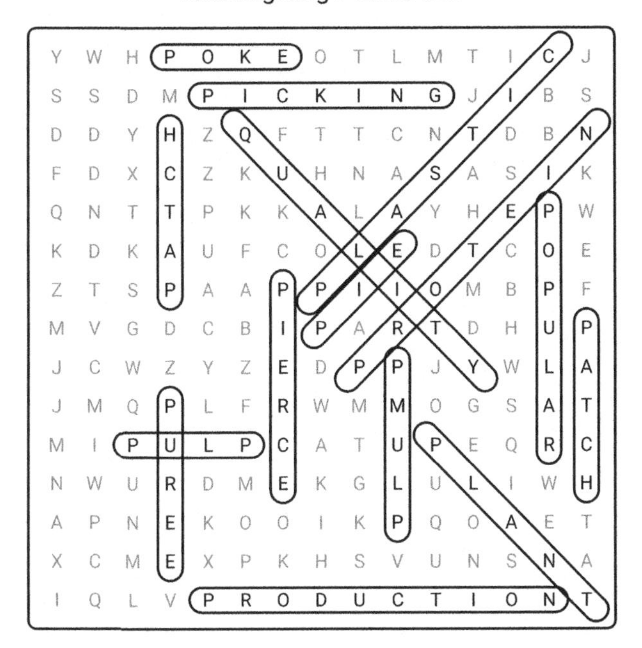

Thanksgiving Puzzle #60

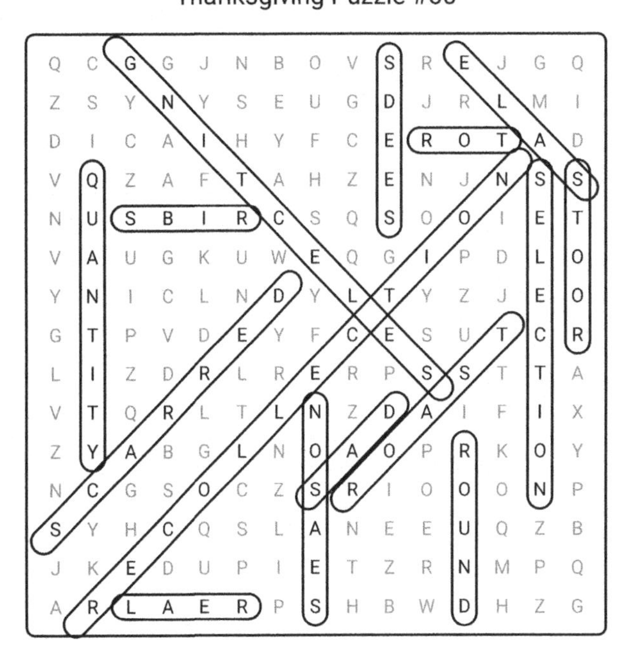

Thanksgiving Puzzle #61

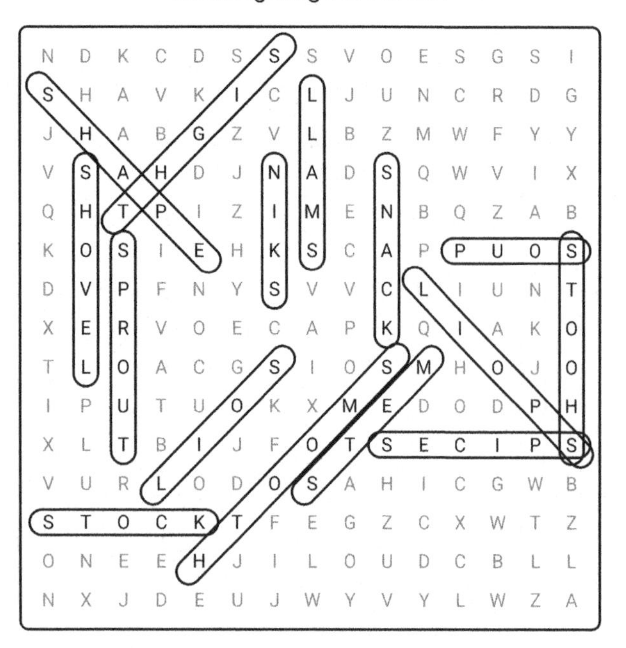

Thanksgiving Puzzle #62

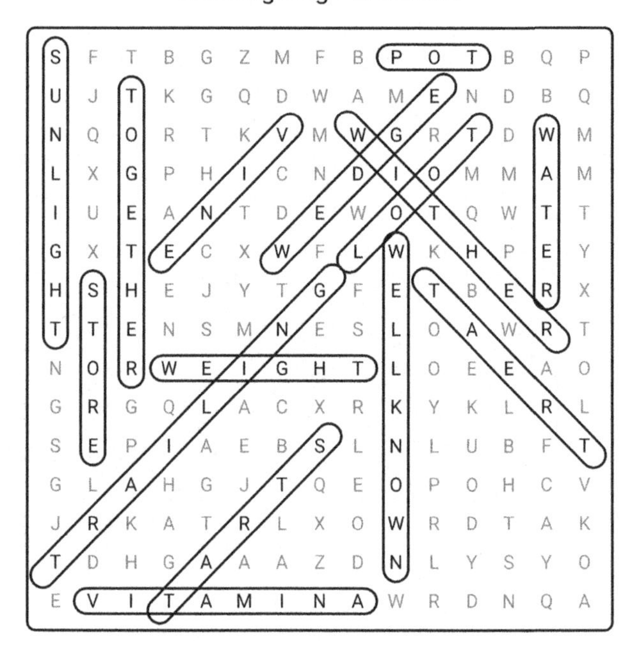

Thanksgiving Puzzle #63

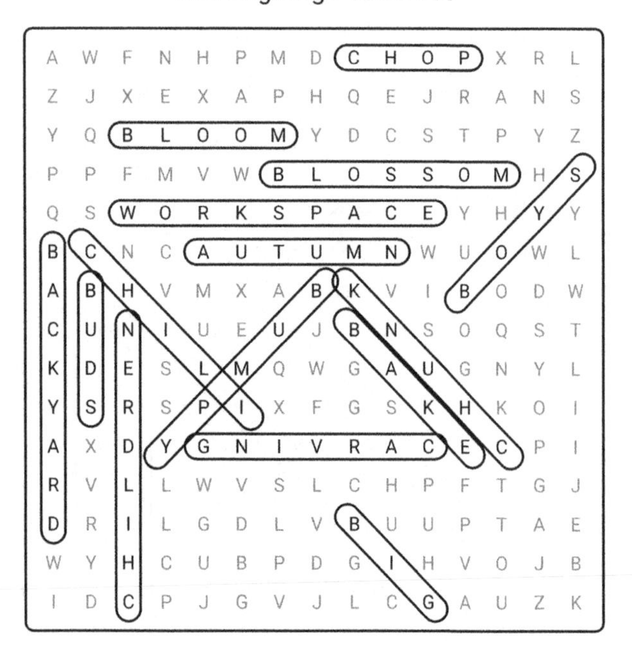

Thanksgiving Puzzle #64

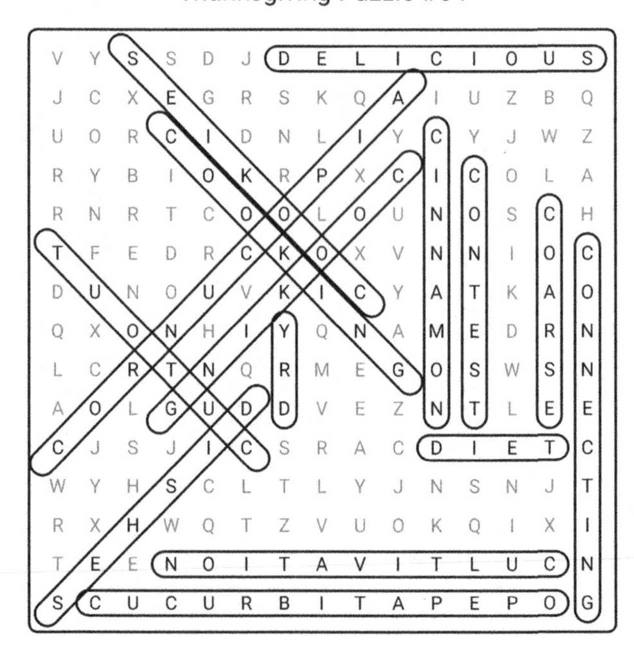

Thanksgiving Puzzle #65

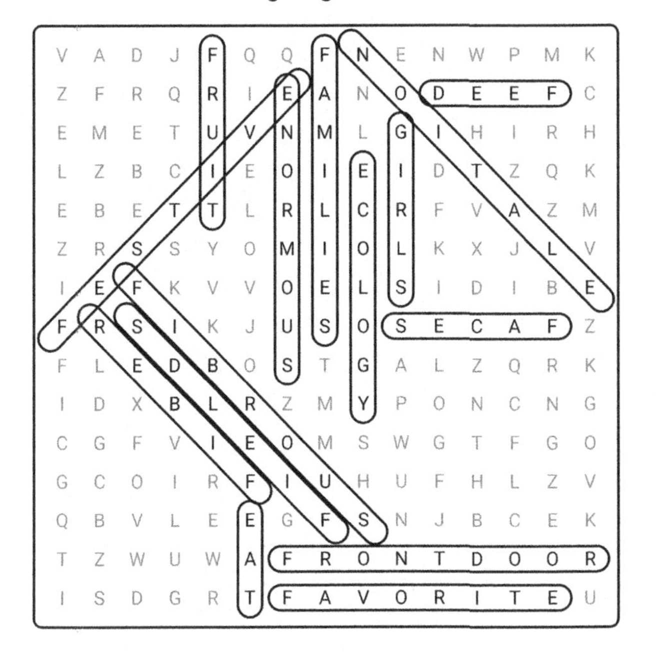

Thanksgiving Puzzle #66

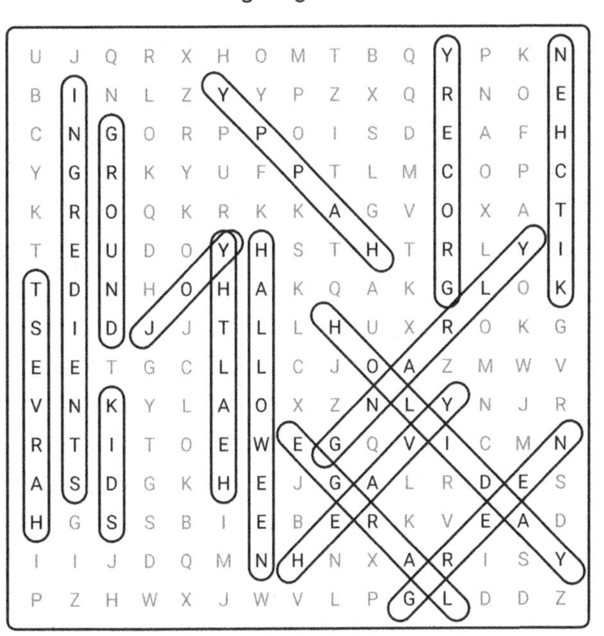

Thanksgiving Puzzle #67

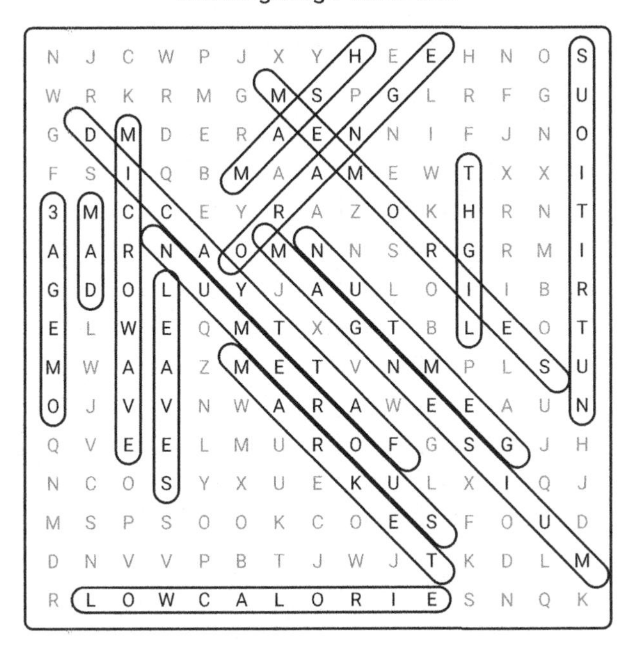

Thanksgiving Puzzle #68

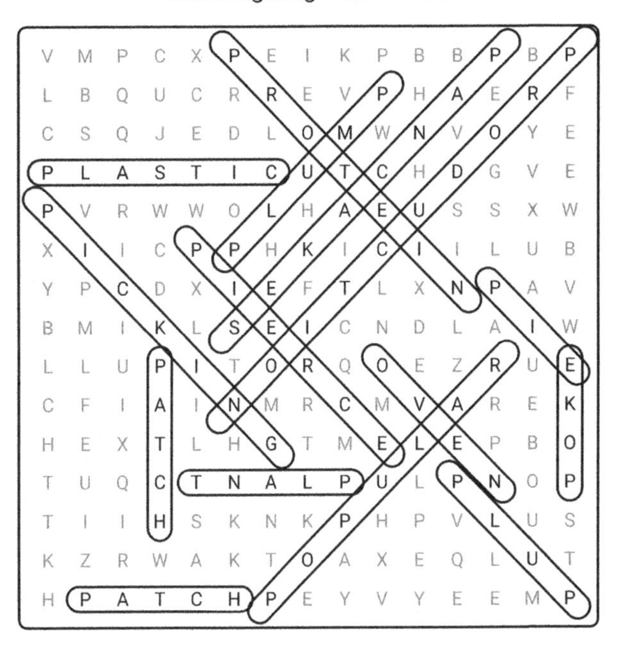

Thanksgiving Puzzle #69

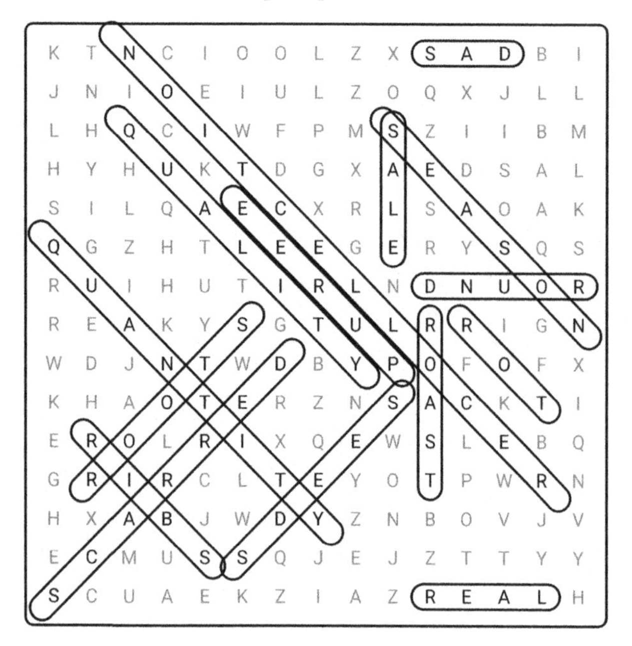

Thanksgiving Puzzle #70

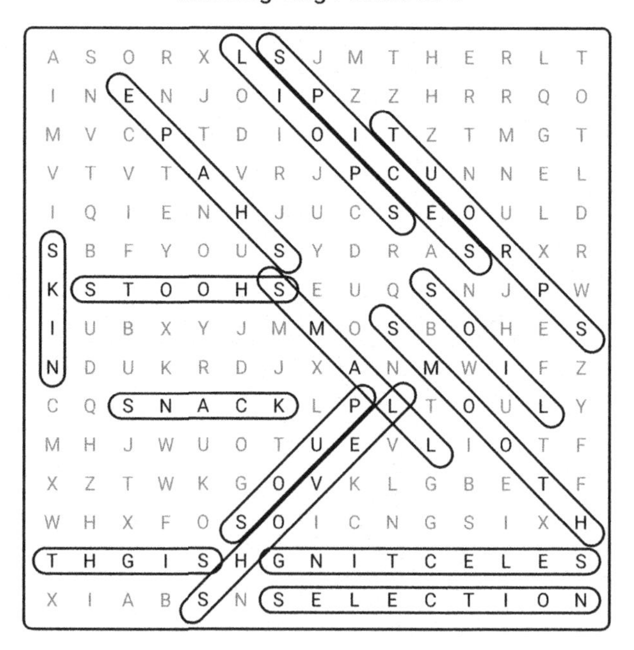

Thanksgiving Puzzle #71

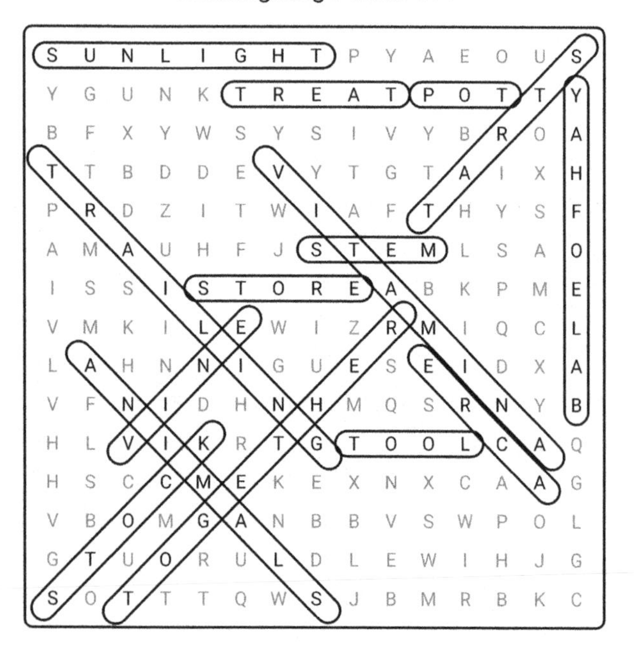

Thanksgiving Puzzle #72

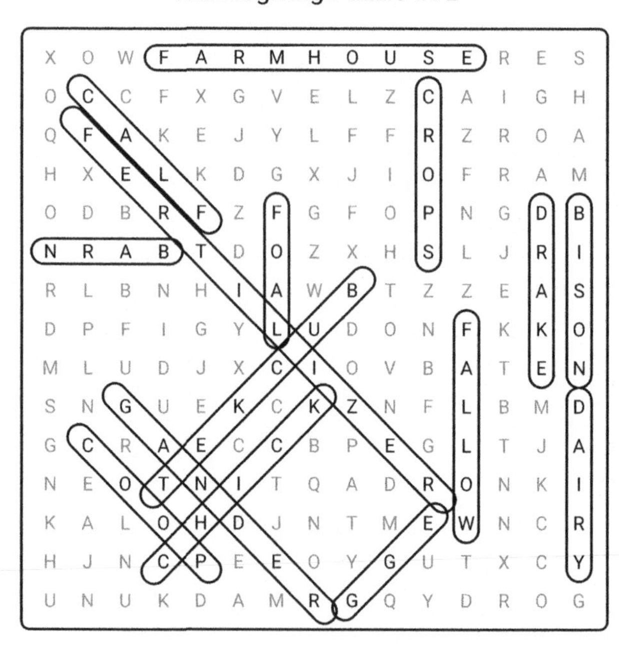

Thanksgiving Puzzle #73

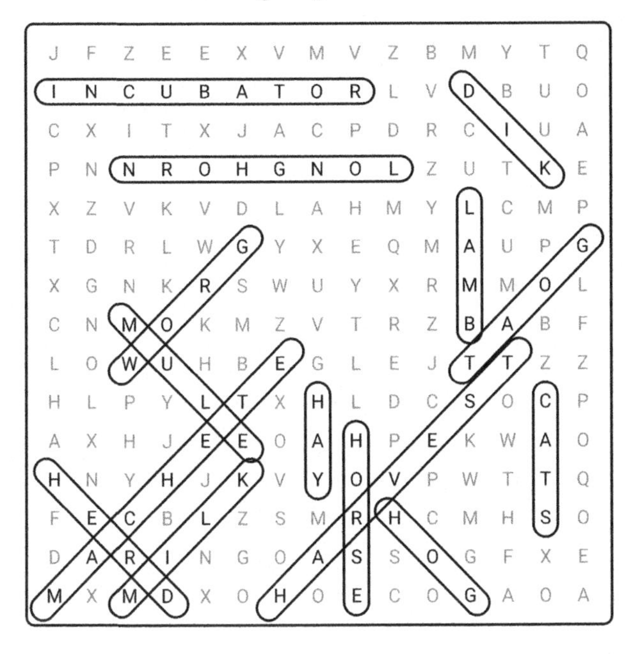

Thanksgiving Puzzle #74

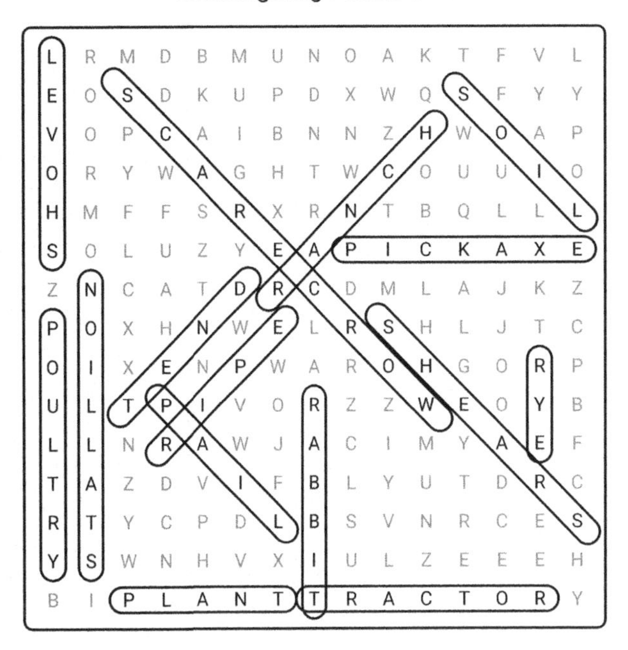

Thanksgiving Puzzle #75

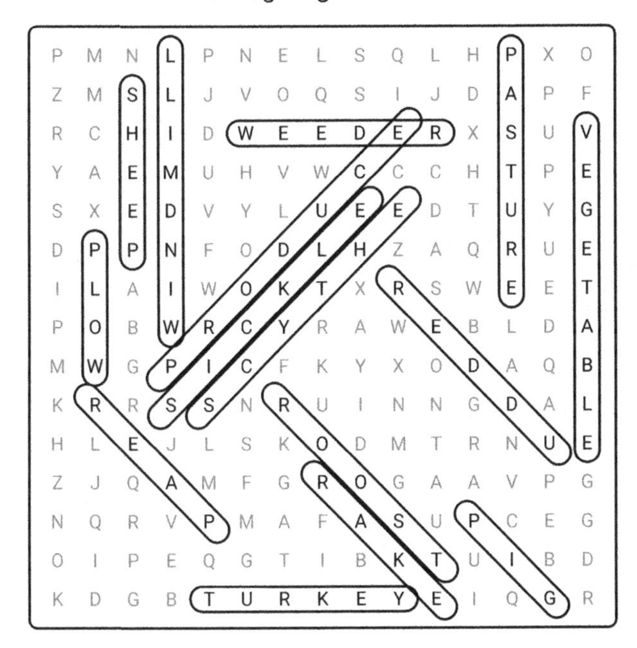

Thanksgiving Puzzle #76

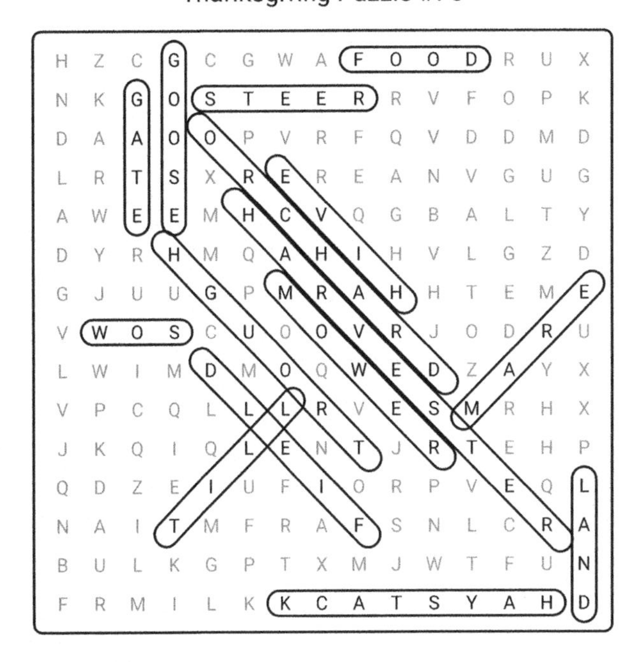

Thanksgiving Puzzle #77

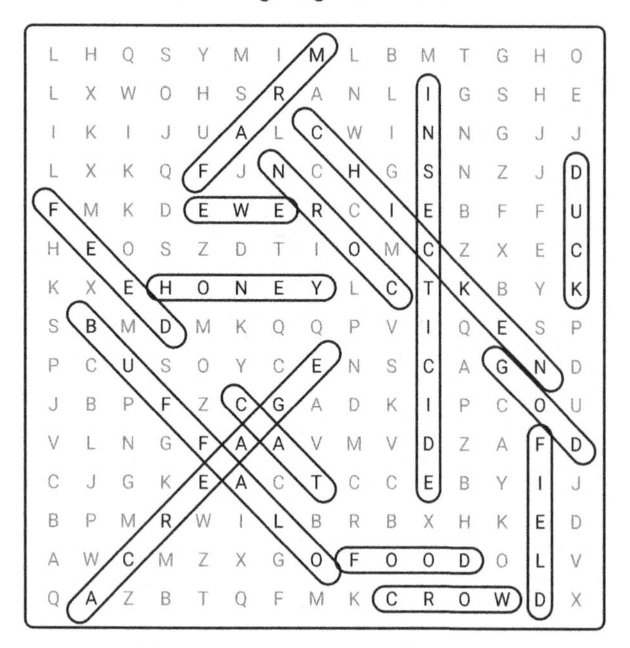

Thanksgiving Puzzle #78

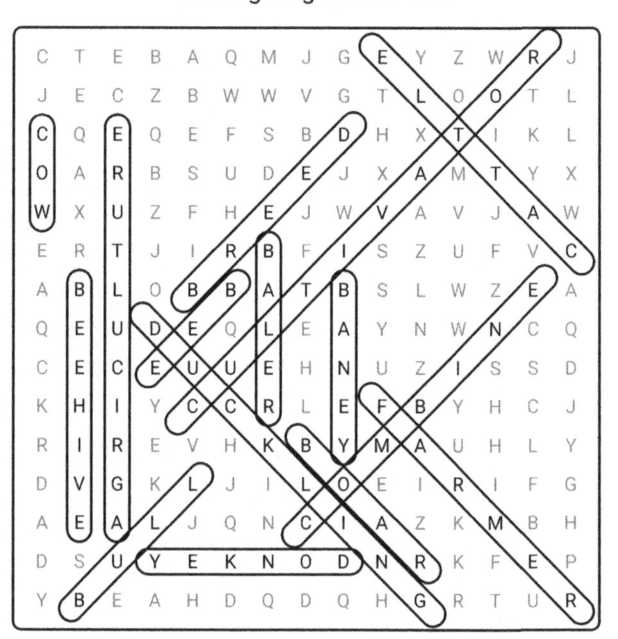

Thanksgiving Puzzle #79

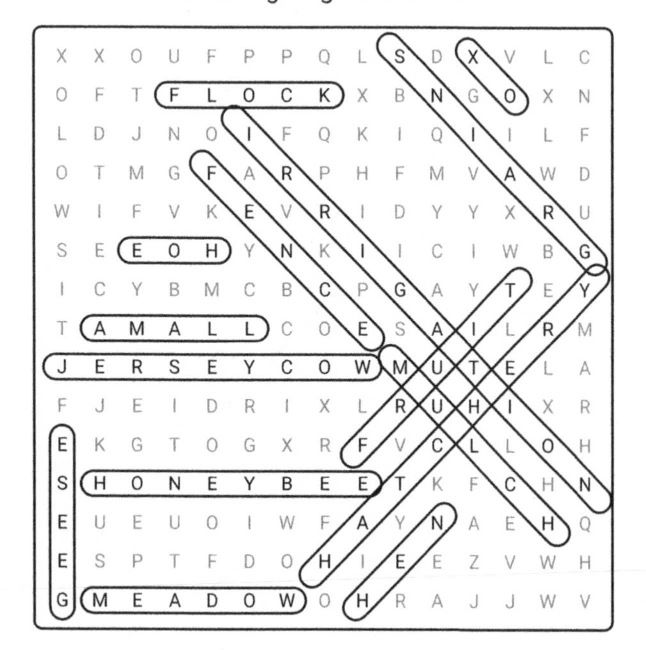

Thanksgiving Puzzle #80

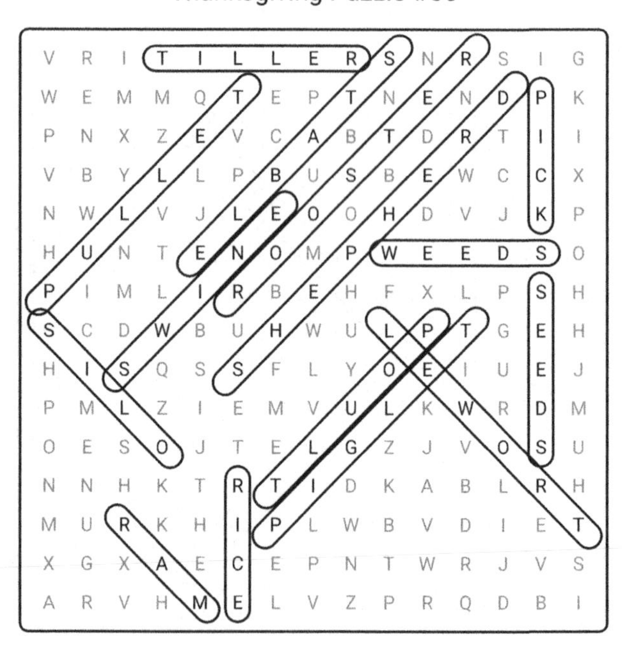

Made in the USA
Coppell, TX
18 October 2021